Jérôme Garcin

Galops

Perspectives cavalières, II

Gallimard

à la mémoire de François Nourissier

« Aller à cheval, tirer à l'arc, dire la vérité ! »

KAREN BLIXEN

« Je jouis du plaisir d'être seul, d'aller au galop, à cheval, en plein soleil. »

GUSTAVE FLAUBERT

Depuis la nuit des temps, pour le meilleur et pour le pire, le cheval a été l'indéfectible allié de l'homme. Maintenant qu'il n'est plus utile, il est nécessaire. À nous qui n'avons que deux jambes, il en donne quatre, si gracieuses et musclées à la fois ; à nous qui avons perdu nos illusions, il propose l'idéal politique de la force sans violence et de la justice immanente ; à nous qui sommes prisonniers de nos vies modernes, il promet la liberté ; à nous qui vieillissons trop vite, il restitue le paradis perdu de l'enfance ; à nous qui trébuchons chaque jour, il offre, entre terre et ciel, le suprême équilibre. Il est bon avec les faibles et ne passe rien aux fanfarons. Il n'oublie rien de ce qu'on lui a confié. Il nous comprend. Il nous grandit. Il nous augmente. Et on ne sait même pas comment le remercier de tout ce qu'on lui doit. Écrire sur lui, c'est la seule manière que j'aie trouvée de lui exprimer ma gratitude.

AUX TROIS ALLURES

Levons l'hippothèque

Il serait peut-être temps de se demander pourquoi, depuis la plus haute antiquité, on a tant écrit sur le cheval. Pourquoi on ne cesse de lui consacrer, toujours plus grands, toujours plus gros, toujours plus beaux, de nouveaux livres. Pourquoi l'hippothèque universelle ressemble désormais à une étonnante tour de Babel. Et pourquoi les efforts conjugués des romanciers, des écuyers, des historiens, des essayistes, des éthologues ou des vétérinaires ne parviendront jamais à *épuiser* le sujet.

Certes, le cheval est inspirant. Il raconte, à sa manière, l'histoire de l'humanité. Il a travaillé aussi bien à la guerre qu'à la paix. Il est des villes et des champs. Il règne dans toutes les cultures, sur tous les continents, et sur tous les peuples. Il bouleverse les lois de l'esthétique. Il produit à la fois de l'énergie, du rêve et de l'art. Il est d'une beauté paradoxale, qui allie, sans les contrarier, la puissance et la grâce. Il défie le temps. Il est d'hier et de demain. De partout et de nulle part.

Mais la vraie raison pour laquelle on n'en finit pas d'écrire sur lui tient, selon moi, au mystère qu'il incarne, et que nul ne saurait résoudre. C'est bien ce qu'il y a de plus fascinant dans le cheval : il garde obstinément son secret. C'est un taiseux. Et fier, qui plus est. Il se donne volontiers mais ne se soumet jamais. On peut le dresser, le monter avec un double mors, le piquer avec des éperons à molette, le conduire aux longues rênes, ou l'enserrer entre des jambes d'airain, il reste libre, imprévisible, insolent, régalien. On s'abandonne à sa droiture, voici qu'il fait des écarts. On l'attache, il tire au renard. On peut se flatter d'être son propriétaire, il ne nous appartient jamais. On veut croire qu'il est fidèle à son cavalier, il n'aspire qu'à l'inconstance et, s'il accepte l'homme, n'a guère besoin de lui, contrairement au chien. D'ailleurs, il se moque de l'anthropomorphisme : ce qu'on lui prête, il a l'élégance de le rendre, mais c'est une illusion. Il galope à la frontière indécise du règne animal et du monde des humains. Même le plus lourd des percherons porte en lui, fabuleuse, la légende de Pégase.

Le cheval est une magnifique énigme autour de laquelle on ne cesse de tourner comme, autrefois, bien avant la chronophotographie, Théodore Géricault, peintre émerveillé du *Derby d'Epsom* où les coursiers semblent en lévitation, allait poser son chevalet dans le cirque de Victor Franconi pour tenter de décomposer, sur la toile, le galop, cette somptueuse allure à trois temps.

Et puis quoi, écrire sur les chevaux, c'est écrire sur soi. Je ne connais pas d'animal plus socratique et plus freudien à la fois. Il pratique la maïeutique et exerce la psychanalyse. Je suis certain qu'il le sait, qu'il le sent. Dans un mouvement chaloupé, il incite le cavalier à accoucher de pensées enfouies, d'aveux longtemps contenus, il l'accompagne dans son méandreux devoir de mémoire. Cela fait près de vingt-cinq ans que la selle en cuir est devenue mon divan et mon bureau nomades.

Car je dois au cheval le pire : la mort brutale d'un père dans la fleur de l'âge, et le meilleur : l'écriture. Il m'a privé de l'un, il m'a offert, par l'autre, de le retrouver dans sa jeunesse éternelle. J'ai écrit mon premier récit autobiographique sur le dos d'un trotteur, Eaubac, qui a été mon allié, mon confident, et l'instrument de ma libération. Car il autorisait soudain une confession que, sans lui, je n'aurais jamais osé coucher sur le papier. Depuis, je berce chacune de mes pages aux trois allures, je recherche l'équivalent grammatical de mes figures équestres préférées, *j'appuie, je passage, je piaffe, je rassemble*, et je disparais en forêt pour rédiger, dans ma tête et sur mes étriers, la phrase ou le chapitre qui réclament du mouvement, de la poussière blanche et du rêve.

Monter, pour moi, c'est écrire. Écrire, c'est monter. Le 26 janvier 1851, Flaubert écrit à sa mère : « À cheval, votre esprit trottine d'un pas égal par tous les sentiers de la pensée ; il va remontant dans les souvenirs, s'arrêtant aux carrefours et aux embranchements, foulant les feuilles mortes, passant le nez par-dessus les clôtures. » Et tant pis si toutes ces pages encombrent trop notre hippothèque. Du moins a-t-elle, sur les bibliothèques ordinaires, le grand avantage d'être à ciel ouvert et de sentir bon le crottin.

Selles de cheval

Je laisse à d'autres le soin de faire l'éloge du crottin bien moulé, à peine fumant, de ces grosses prunes harmonieusement disposées sur la paille auxquelles la lumière d'automne donne des reflets dorés.

À d'autres aussi, l'art et la manière de décrire l'étrange arôme qui s'en dégage, mélange de sous-bois moussu, de foin coupé, de terre glaise enfantine et de miel de haute montagne. (Le parfumeur Jean-Paul Guerlain a confessé dans ses Mémoires avoir créé *Habit rouge* pour retranscrire l'odeur puissante du cheval mêlée aux effluves du cuir des harnache-ments.) Rien d'étonnant que, du crottin chaud sur litière, les chiens et les oiseaux se délectent ; ce n'est plus un excrément, c'est un aliment.

À d'autres encore, la lourde charge de plaider pour le fumier du cheval, précieux engrais dont raffolent, pour leurs œuvres naturelles, les cham-pignonnistes, les arboriculteurs et les maraîchers. Où l'on découvre que l'animal travaille, sans effort, à la splendeur de la nature.

Et aux poètes enfin, la grâce d'évoquer, lorsque vient l'hiver et que les herbages sont pétrifiés dans le petit matin blanc, ces boules parfaites que recouvre une fine pellicule de givre, un cristal de froid, comme si la nature, qui est collectionneuse, voulait les conserver telles quelles, jusqu'aux beaux jours.

Il me reste donc à décrire, en cavalier, l'exquise volupté de l'expulsion. (Je rappelle en effet que, contrairement à l'être humain, le cheval fait ses besoins même lorsqu'il est monté. Si l'homme va à la selle, le cheval se décharge sous la selle. Le premier est un solitaire pudibond, le second, un frimeur qui aime la compagnie. Il est logique d'en tirer une morale provisoire.)

Signe de stress, juste avant de se lancer sur un tour de concours hippique, ou au contraire de bien-être, au cours d'une promenade tranquille en forêt, sur la plage, dans la plaine, le crottin vient en marchant. Dans les deux cas, excitation ou quiétude, il s'agit pour l'équidé de s'alléger. Notre rôle est, à cet instant précis, de l'accompagner.

Car le vrai plaisir du cavalier bien accordé à sa monture est de suivre le cheminement intestin du crottin avant qu'il ne jaillisse. On sent d'abord, sous les mollets, le ventre se durcir ; on devine ensuite, dans le dos, que l'arrière-main se soulève légèrement, parfois se fige, et que les postérieurs s'écartent : on se met alors en équilibre sur les étriers afin de peser le moins possible et, en se retournant, on voit la queue se dresser à la verticale et le crottin tomber sur le sol dans un gentil clapotis de pluie normande, de plat qui mijote.

Qui saura dire le bonheur de se rasseoir doucement dans sa selle après que le cheval s'est libéré. On peut désormais aller sauter le premier obstacle ou galoper dans la mer avec une insouciance à laquelle cette intimité partagée pendant quelques secondes offre un supplément de complicité.

J'ai toujours pensé que, en son for intérieur, le cheval fabriquait du crottin pour mieux mesurer l'attachement et la fidélité de celle ou celui qui le monte. Il jette du lest pour nous tester. On voit par là qu'il est non seulement sensible, mais aussi intelligent. Et très sentimental.

Après la bataille

C'était ça, les chevaux de mon enfance : une force tellurique, une puissance volcanique, une colère céleste et la perpétuelle menace d'un invisible danger. J'étais petit, il est vrai, et ils me semblaient si grands. Je leur voyais une encolure de dragon, des yeux exorbités et une bouche qui bavait tantôt blanc, tantôt vert. Leur harnachement compliqué faisait un bruit de crécelle, de cymbales et de tiroir-caisse. S'y ajoutaient, dès les premières galopades, un ahanement de bête chassée, le mugissement rauque du vent dans des voiles déchirées, le grondement sourd de la terre retournée. Il y avait de la tératologie dans ce spectacle insolite, la folie des étalons de Géricault et l'écho cuivré de lointaines batailles médiévales. J'étais fasciné et apeuré à la fois.

Au milieu des années soixante, dans le Bessin, en Basse-Normandie, mon père voulait me faire partager sa nouvelle passion. Éditeur rigoureux de Gilles Deleuze et exégète raffiné de Stendhal, il avait découvert l'équitation après la mort accidentelle de mon frère jumeau ; il voulait soudain un sport qui l'obligeât à en découdre, qui lui permît non seulement de brûler sa souffrance, mais aussi d'épuiser sa révolte. Il montait pour se dépenser, s'élever, et prendre des risques. J'avais dix ans quand je l'accompagnais sur tous les terrains enherbés du Bessin où les chevaux se donnaient sans compter. Je me souviens de concours complets du côté de Trévières et de cross proprement hallucinants, où les cavaliers sautaient, à un train d'enfer, d'énormes stères de bois, des essieux de charrette, des trakehnens phénoménaux, des routes goudronnées, des tonneaux à cidre empilés, des fossés abyssaux, des rivières agitées, et faisaient des chutes dont, parfois, ils ne se relevaient pas. Je me souviens de concours hippiques près de Bayeux, où, après que des vestes rouges eurent sonné de la trompe sous un ciel d'orage, les obstacles étaient si hauts que chaque envolée tenait pour moi du miracle. Je me souviens aussi avoir visité les haras nationaux de Saint-Lô et du Pin, arpenté les écuries à perte de vue, observé en contre-plongée les croupes rondes d'écrasants percherons, les gros pieds des massifs boulonnais, qui ronronnaient dans leurs stalles, et avoir découvert avec effroi le théâtre obscène et cacophonique des saillies. Oui, c'était ça, les chevaux de mon enfance : une horde sauvage d'animaux géants montés par des têtes brûlées sur des terrains vagues. Autant dire que, malgré tous les efforts de mon père pour me les rendre aimables, pour m'initier à leur élégante compagnie, pour m'apprendre à leur donner du sucre « la paume bien à plat » et pour calmer mes frayeurs, je m'obstinais à faire, en culottes courtes, de la résistance passive.

Elle dura jusqu'à mes dix-sept ans. J'eus alors la terrible preuve que mes craintes étaient fondées. Le 21 avril 1973, mon père fit une chute mortelle dans la forêt de Rambouillet. Sans le prévenir, on lui avait confié un trotteur si prompt à l'emballement que, dans le centre équestre où même les instructeurs s'en méfiaient, à mots couverts on le surnommait « le tueur » : il avait, à son actif, un nombre incalculable de fémurs fracturés et de lices brisées. Ce jour-là, il prit, au galop, la jeune vie d'un homme de quarante-cinq ans.

Oh, il m'a fallu un temps infini pour me réconcilier avec le cheval et pour aimer passionnément celui que j'avais si fiévreusement haï. J'ai raconté, dans plusieurs livres obsessionnels, le long cheminement qui a favorisé ma propre métamorphose et fait de moi, si étrange que cela paraisse, un cavalier reconnaissant. Mais si je raconte d'où je viens, c'est aussi pour mesurer tout ce qui sépare, à jamais, le gamin paniqué de l'adulte émerveillé.

Car, en quarante ans, tout a changé. Autrefois, les concours hippiques m'apparaissaient comme des furies équestres et des charges de hussards dans un décor de comices agricoles. Les chevaux étaient lourds, ils couraient après leur mors, se jetaient sur les oxers, suaient à grosses gouttes, étaient montés dans la hargne et pour la gagne par des athlètes sanguins, couperosés, parfois des passagers clandestins qui tiraient à hue et à dia. Aujourd'hui, c'est au contraire le règne de la grâce et l'énigmatique royaume de l'apparente facilité. Même l'exploit — notamment à l'instant du barrage — donne l'illusion d'être naturel, ludique et voluptueux. Les grands cavaliers d'obstacle étaient des cow-boys, ils sont devenus des artistes.

Chaque année, je suis passionnément, à la télévision, toutes les étapes de la Coupe du monde. Moins pour voir les chevaux sauter haut que pour admirer d'admirables dresseurs, qui tous travaillent désormais dans la légèreté et l'équilibre. Ils ont la main fixe et douce, la jambe caressante, l'assiette profonde, ils abordent les combinaisons dans un petit galop rassemblé, épousent les murs au lieu de les affronter, tournent sur eux-mêmes avec une souplesse et une vélocité de truite sauvage. Les meilleurs semblent se promener. À la fin des parcours, leurs jolies montures ont le poil sec et l'œil brillant — des gravures en mouvement.

Il est vrai que, avec le temps, les cavaliers ont maigri, ce sont maintenant des champions au profil chinois de danseur étoile. Mon préféré, qui est celui de tous les amoureux de la belle équitation, s'appelle Marcus Ehning. Cet Allemand roux et timide ne monte pas, il est dans le cheval. Toujours dans le calme, jamais dans l'effort. Avec une fausse insouciance de jeune roi paresseux. Un centaure d'obstacle. Quant aux femmes, absentes des concours de mon enfance, elles disputent aujourd'hui les podiums aux hommes, comme à Leipzig, en janvier 2010, où trois d'entre elles sont arrivées en tête : l'Irlandaise Jessica Kürten, l'Australienne Edwina Alexander et la Française Pénélope Leprevost. Jolies, fines et menues, avec des profils de médaille, elles font des prouesses le sourire aux lèvres. Elles sont l'avenir du cheval.

Les concours d'autrefois ressemblaient à des champs de bataille. Les chutes des cavaliers étaient méchantes. Les barres, épaisses et lourdes, se brisaient dans la boue en faisant un bruit de canonnade. Les chevaux hennissaient à la détente, les chiens aboyaient. L'air sentait la frite chaude et la chasse à courre. Des ambulances blanches stationnaient sous les arbres. Au départ furieux de chaque concurrent, je serrais fort la main tiède et rassurante de mon père.

Aujourd'hui, les chevaux rebondissent sur le sol élastique en Toubin-Clément, qui réverbère la lumière et donne à entendre, dans un silence religieux, la petite musique mozartienne du galop cadencé. Les cavaliers ne tombent plus, ils semblent collés à leur selle, inamovibles et si sereins — « Certains, écrivait l'écuyer Étienne Beudant dans *Extérieur et haute école*, sont si bien liés à leur monture qu'ils ne semblent ni la fatiguer ni se fatiguer eux-mêmes. » L'indoor ajoute à la beauté de la chorégraphie, au suspense de la dramaturgie. On assiste en effet à un spectacle vivant, chaque soir différent, qui est régi par les lois du théâtre, emporté par l'allégresse de la danse, et dont les acteurs itinérants viennent de tous les continents.

Ils ne parlent qu'une seule langue, très vieille et très belle : celle du cheval, qui est lui-même un comédien génial, un cabot magnifique. Il est susceptible et généreux, a le trac avant d'entrer en scène, fanfaronne sur la piste, feint de se jouer des obstacles, donne d'amusants coups de cul après des palanques, gonfle le torse avant d'enjamber une barre de spa, veut être aimé, s'enivre de la présence du public et attend, après la prouesse, sa caresse sur l'encolure. Il sait bien qu'il n'est rien sans son partenaire, lequel le monte désormais sans peser, avec assez de délicatesse pour parvenir à lui rendre sa gaieté naturelle et la liberté dont il abuse au pré. On est à la fête. On applaudit. On en redemande. Ah, si mon père voyait ça.

VIENS VOIR LES COMÉDIENS

Manège intime

Vient ce moment troublant où, si elle regardait par-dessus son épaule et celle de son cheval, si elle faisait le compte de ses rôles successifs et le bilan de ses multiples métamorphoses, mais ce n'est pas son genre, elle aura plus été en selle qu'en scène et en chaps qu'en costume.

Pour autant, je n'ai jamais pensé qu'Anne-Marie montait avec une telle intensité parce qu'elle jouait avec davantage de parcimonie et qu'elle donnait passionnément à l'équitation ce que, discrètement, elle enlevait au théâtre. Au contraire, j'ai toujours su que, sans en rien dire, elle prolongeait son métier en l'exerçant d'une manière différente, moins ostentatoire, et en lui offrant, à ciel ouvert, de plus invisibles émotions et de plus larges perspectives.

Il fut un temps — c'était au début des années quatre-vingt-dix, entre la Côte fleurie et la plaine agricole de Lisieux — où elle montait pour offrir des vacances à son art et une récréation à son travail. Des chevaux de passage, comme on dit des personnages d'emprunt, suffisaient à son bonheur, un bonheur diffus, odoriférant, où se mêlaient les lointains souvenirs de reprises dans le manège belge de Knokke-Le-Zoute, de baignades à cru et au crépuscule sur la plage de Pampelonne d'avant la folie tropézienne, de randonnées solitaires dans les causses inviolés de l'Aubrac, ou de voltige en amazone sur un percheron bai foncé promis au Gala des Artistes. Elle ne reprenait pas, à trente-cinq ans, le chemin des écuries et des carrières pour renouer avec son passé, mais plutôt pour en vérifier l'exactitude et mettre son âge mûr au défi de trouver, plus rieuse, une nouvelle jeunesse.

Nos trois enfants étaient petits et Anne, sa mère, Anne Philipe, venait de mourir. Pour elle, soudain, la vie recommençait de zéro et il fallait réapprendre, au milieu des cavaliers en herbe, sur des chevaux usés et malhabiles, l'abnégation du trot assis, le tracé des voltes et les aides impératives du départ au galop — pour un départ au galop à droite, jambe droite à la sangle, jambe isolée gauche, rêne d'appui droite, poids du corps à gauche, et hop là.

Ni débutante ni confirmée, elle se moquait de ses maladresses, de ses courbatures inédites et de sa propre audace, lorsqu'elle sautait des barres en lançant au planer un petit cri d'orfraie. L'équitation la divertissait, mais ne la détournait jamais de sa passion omnivore, qu'elle pratiquait alors au théâtre Silvia-Monfort, où elle jouait, saison après saison, *La Valse des toréadors*, de Jean Anouilh, ou *Lundi, 8 heures*, de Jacques Deval. Elle ne montait que pour redescendre plus vite sur terre, entre deux films tournés ici et là avec Yves Robert, Lina Wertmüller, Francis Girod, Pierre Boutron, Véra Belmont, Patrice Leconte ou Bernard Rapp. Elle nous quittait souvent, les enfants et moi, en plein milieu d'une séance ingrate de tape-cul, pour rejoindre Paris le trac au ventre et se transformer, avant le coucher du soleil, en piquante Mme de Saint-Euverte, en poule de parvenu — c'était la rousse et rustre Lulu —, ou en femme négligée du gouverneur de Saint-Pierre-et-Miquelon attendant sa veuve, sa guillotine, dans l'hiver brumeux de l'Atlantique Nord.

Lorsque venaient les rares jours de repos et de répit, sur le dos d'Aramis, de Vunou ou de Twist, la comédienne cessait de faire de l'art, elle goûtait simplement aux plaisirs de la vie et des trois allures en bord de Manche. Si elle n'éprouvait aucune inquiétude à cheval, c'est que, pour elle, il n'y avait alors de défi et de risque que sur les planches. Jouer était un combat et monter, un armistice, presque une réconciliation.

Jusqu'au jour de 1998 où, tel Paul Claudel dissimulé derrière un pilier de Notre-Dame et frappé par la foudre de la foi un soir de Noël qu'exaltaient les enfants d'une maîtrise chantant le *Magnificat*, elle fut littéralement saisie par la grâce d'un lusitanien de six ans, dans un de ces manèges de campagne qui ressemblent tant à des églises désaffectées au fond desquelles même le Christ en croix paraît s'ennuyer. Dès lors, elle entra en religion. Danseur, alias Danzador, fut son dieu. Elle lui sacrifia tout ce qu'il exigeait qu'elle lui sacrifiât : le bruit des villes, la compagnie des importuns, les vanités mal placées, les castings humiliants, le temps perdu en civilités, et même certains cachets consentis, à la télévision, pour des emplois que c'est pas la peine.

Avec ce cheval d'exception, fils de Miguelista et de Nora, elle avait enfin trouvé son grand et inépuisable rôle, qui emprunte à la fois, pour l'austère rigueur, aux tragédies antiques, et, pour l'humour ludique, aux comédies françaises. Elle rendait les rênes au siècle du Roi-Soleil brillant de tous ses feux et célébrant l'union des beaux-arts : la haute école versaillaise, le théâtre de Molière, les opéras-ballets de Lully et les savants jardins chorégraphiés par Le Nôtre. Elle allait désormais s'appliquer sans relâche à être juste, à mériter le geste pur, à obtenir l'accord parfait, et à placer sa voix en silence — c'est le travail d'une vie entière. Je la vis troquer les traités de Louis Jouvet contre ceux de Nuno Oliveira, *Le Comédien désincarné* contre *Réflexions sur l'art équestre*, bouder une générale à l'Odéon pour aller applaudir l'École espagnole de Vienne à Bercy et préférer le pèlerinage de Lisbonne à celui d'Avignon.

Fuyant l'épate, la composition, la complaisance, désormais elle ne chercha plus à plaire au plus grand nombre, mais à s'estimer elle-même.

Car elle réclamait moins des applaudissements que des assentiments.

Avec une patience de dentellière, elle apprit à gouverner son cheval dont, avant elle, on avait malmené la fierté, et qui était devenu presque sauvage. Elle calma, l'une après l'autre, ses peurs enfantines, et lui restitua sa superbe. Elle le raisonna, le muscla, l'affina, l'assouplit, l'aima, en même temps qu'elle se raisonnait, se musclait, s'affinait, s'assouplissait et commençait à s'aimer. Elle l'embellit et il l'embellit. Ce fut une longue, mystérieuse et magnifique aventure. Ce fut aussi un labeur de chaque instant, car elle voulait savoir son cheval comme, autrefois, elle voulait savoir son texte : à la perfection, et sans donner l'impression qu'il eût été appris. Elle ne compta plus les heures, les jours, les semaines dévolus à sa nouvelle vocation. Alors, elle vécut plus en Normandie qu'à Paris, où l'absence de Danseur était cruelle, où l'impossibilité d'exercer son art et de travailler avec son partenaire la désespérait.

Enfin, après tant d'efforts, de doutes, de revers et de victoires, sonna l'heure de la récompense et la reine de *Ruy Blas* s'adressa à son Danseur étoile, qui lui donna la réplique au passage et au piaffer. Ils se comprirent de façon médiumnique. Ils brillèrent ensemble. Elle devint centauresse. Depuis, les deux artistes se produisent gratuitement devant des inconnus cachés dans la pénombre d'une tribune, des enfants émerveillés, des apprentis moniteurs fascinés, un public froufroutant de colombes ou une haie frissonnante de noisetiers. Étonnant spectacle qui, en musique ou en silence, emprunte à la chorégraphie, à la commedia dell'arte, à la pantomime, à la tauromachie, à l'impressionnisme, à la chanson d'amour, à la poésie et à la liturgie. Un spectacle qui se répète, mais n'est jamais le même, et dont la beauté tient à son évanescence. Cela fait des années qu'elle donne le meilleur d'elle-même à un art dont il ne restera aucune trace et dont seule, un jour, elle se rappellera l'indicible splendeur.

À ce degré d'exigence, à cette hauteur de jeu, à ce niveau d'extase, le théâtre ordinaire paraît bien fade. Peu à peu, la fréquentation de Danseur l'éloigna de la compagnie des hommes. Au milieu des années 2000, elle ne consentit à retirer ses fins éperons portugais que pour incarner, sur la scène du Petit Hébertot et puis en tournée à travers la France, le livre de sa mère, *Le Temps d'un soupir*, et pour retrouver, en portant haut cette oraison funèbre, son père de légende qui galvanisait les foules, galopait à bride abattue dans *Fanfan la Tulipe*, trottait sabre au clair dans *Les Grandes Manœuvres*, mais ne savait pas monter. Aujourd'hui, elle n'enlève ses jodhpurs noirs que pour transmettre à des élèves comédiens, dans le cours de théâtre qu'elle a fondé, ce que le dressage de haute école et son cheval lui ont enseigné, et qui n'a pas de prix : l'humilité, la patience, la légèreté, la générosité, la pureté et la fidélité.

Cela fait maintenant quatorze ans qu'ils se sont rencontrés et ne se sont jamais quittés. Danseur en a vingt et un, mais ne le montre pas. Malgré les douleurs de l'arthrose, il continue, pour elle, rien que pour elle, de lever ses jambes avec une souplesse de jeune homme et de serpenter dans le sable du manège ou de la carrière. Il ressemble à ces comédiens âgés qui retiennent le temps en scène, et le narguent ; ils déclineraient chez eux, ils rajeunissent au théâtre, fût-ce dans des costumes de rois acariâtres et de tyrans fous. Danseur, lui, ne veut pas vieillir dans le regard ni sous les jambes de sa partenaire exclusive. Comme s'il pressentait que la femme ne le remplacera jamais, que la cavalière cessera de monter après lui et que la comédienne ne fera plus d'art sans lui. Comme s'il savait que le miracle dont il est l'instrument ne se reproduira jamais. Comme s'il comprenait Anne-Marie mieux que l'homme qui l'aime, n'a jamais cessé de l'aimer, et ne déteste pas les chevaux.

La galopeuse du Français

Et son cheval au galop, que rien ne semblait pouvoir arrêter dans sa course folle, ni les murets de pierre sèche ni les futaies serrées, pila net au bord du précipice et lui sauva la vie. À ses pieds, creusée à la verticale dans la roche blanche, tombait la magnifique et vertigineuse Brèche au Diable, haute de plusieurs centaines de mètres. Une foulée de plus, et elle s'écrasait avec sa monture au fond des gorges du Laizon, où coule toujours un indolent ruisseau.

Retour au manoir de Poussendre, le cœur battant la chamade, elle fit ce jour-là promettre à son mari, Nicolas Fouquet Dulomboy, capitaine de cavalerie, chevalier de l'Ordre de Malte et maire de Tassilly-Saint-Quentin, de bien vouloir l'enterrer à l'endroit précis où la mort n'avait pas voulu d'elle. C'est un promontoire culminant, battu par les vents, qui gouverne, au nord, la vaste plaine de Caen, et, au sud, les terres bocagères de Falaise.

Des années plus tard, Nicolas Fouquet Dulomboy tint parole et fit édifier, pour sa femme visionnaire, car elle fut fauchée dans la fleur de l'âge, un imposant tombeau qui, prolongeant la montagne à la verticale, ajoute de l'altitude à l'altitude, de la grandeur à la sauvagerie, et semble frôler le ciel joufflu de Normandie. Ce monument, où la défunte est représentée en Romaine allongée sur un lit, fut réalisé par Jean-Philippe Le Sueur, à qui l'on doit la sépulture de Jean-Jacques Rousseau. On peut y lire : « Ci-gît Marie-Élisabeth Joly, femme Dulomboy, la meilleure des mères, la plus douce et la plus sensible des femmes, la plus tendre des épouses. Amante de la nature, artiste célèbre, elle décéda à Paris le seize Floréal an VI (5 mai 1798), âgée de trente-sept ans. Hommes, respectez sa cendre. »

Cavalière par passion et Normande d'adoption, Marie Joly était sociétaire de la Comédie-Française. Née en 1761, fille d'un costumier de théâtre et d'une comédienne, elle avait grandi sur les planches, joué dès sept ans la Louison du *Malade imaginaire* et rejoint ensuite la troupe itinérante de Montansier, placée sous la protection du duc d'Harcourt, qui allait de ville en ville donner les pièces de Jean-Baptiste Poquelin. C'est d'ailleurs au cours d'une tournée qui la menait à Caen qu'elle rencontra son futur mari. Distribuée dans les emplois de soubrette — Mlle Joly n'était pas vraiment jolie, mais elle avait du piquant et de l'abattage —, elle galvanisa le pourtant sévère Rivarol : « C'est elle seule qui me fait trouver dans Molière tout ce que j'y trouve quand je le lis. »

Admise à vingt ans à la Comédie-Française, elle joua la Dorine du *Tartuffe*, la Toinette du *Malade*, la Martine des *Femmes savantes*, la Nicole du *Bourgeois gentilhomme*, avant de changer de registre et de s'imposer comme tragédienne. En 1785, elle fut même applaudie à Versailles par Louis XVI, devant qui elle incarna, dit-on, une exceptionnelle Athalie. Le Roi de France s'inclinant devant la Reine de Juda : un moment d'Histoire.

Quand elle n'était pas sur scène, Marie Joly était en selle. Elle aimait autant monter que jouer. Elle demandait aux chevaux ce qu'elle attendait des alexandrins : qu'ils l'élèvent, la métamorphosent et offrent un idéal à sa vie. Chaque fois que le théâtre lui laissait un peu de répit, elle partait pour Saint-Quentin, où elle galopait des journées entières dans cette forêt accidentée et torturée où les racines géantes des arbres enserrent les blocs de grès et où, l'été, monte du lit du torrent une fraîcheur acidulée. Lorsqu'elle revenait à Paris, les joues en feu, l'amazone se transformait en mondaine. Car une fois tombé le rideau de la Comédie-Française, elle tenait un salon où se pressaient Beaumarchais, Bernardin de Saint-Pierre et André Chénier auxquels la tragédienne racontait ses aventures équestres et décrivait la loyauté de son cheval, dont le pied était si sûr qu'il pouvait trotter droit au bord des ravins vertigineux.

Après la Révolution, elle fut courtisée sans délicatesse, et sous les yeux de son mari, par le député montagnard Fabre d'Églantine, qui se prétendait acteur (il avait joué dans *Le Misanthrope*), poète (il avait écrit un *Sonnet à la Vierge* pour les Jeux floraux de Toulouse) et dramaturge (ses pièces *Augusta* et *Le Présomptueux* furent sifflées à la Comédie-Française). Comme elle refusa ses avances, l'auteur de «Il pleut, bergère» ne tarda pas à se venger en obtenant de Danton qu'il la fît arrêter pour royalisme. Marie Joly fut incarcérée pendant cinq mois à Sainte-Pélagie, et puis à nouveau dans une autre prison. Derrière les barreaux, elle lisait passionnément Jean-Jacques Rousseau, un philosophe qu'elle adulait et sur la tombe duquel, à Ermenonville, elle avait déposé, en 1788, une couronne en bronze portant l'inscription suivante : «Aux mânes de Jean-Jacques Rousseau, par Marie Joly, épouse et mère.» Elle ne fut libérée qu'à la condition de s'engager à jouer désormais pour le Théâtre de la République, et lui seul. Elle n'eut pas le temps de tenir sa promesse : épuisée par cinq accouchements et dotée d'une santé fragile, que le cachot rendit plus précaire encore, elle mourut d'une pleurésie, qu'on appelait alors «maladie de poitrine», dans son appartement de la rue Saint-Honoré. Avec leurs cinq enfants en bas âge, Nicolas Fouquet Dulomboy accompagna alors le cercueil de sa femme en Normandie, où la Garde nationale de Potigny rendit les honneurs et où, en un mois, fut construit, au sommet de la montagne, ce tombeau massif augmenté de deux pilastres, l'un représentant Thalie en larmes et l'autre Melpomène, un livre à la main. Autrement dit, le chagrin et son expression.

Avant de disparaître à son tour, l'époux éploré de Marie Joly confia à un paysan de la commune, Adolphe Bouquerel, la charge, attestée par un bail signé le 13 juillet 1808, de garder la sépulture de sa bien-aimée et d'entretenir le petit jardin qui l'entoure. Non seulement le brave homme s'acquitta de la tâche, mais il mit aussi un point d'honneur à la transmettre à ses enfants. Il faut croire que, dans cette famille du Calvados, le scrupule est héréditaire puisqu'une descendante d'Adolphe Bouquerel, appartenant à la cinquième génération, fait toujours visiter aux rares promeneurs égarés dans la forêt la dernière demeure de l'actrice cavalière.

Mme Huguette Kermaïdic a soixante-dix-neuf ans, des cheveux courts et blancs. Elle porte des lunettes, une blouse bleue à carreaux, des godillots et des bas noirs qui montent jusqu'à ses genoux blancs. On dirait un personnage des Deschiens d'avant la télévision. Chaque matin, qu'il pleuve ou neige, elle enfourche sa bicyclette antédiluvienne et quitte sa maison de Bons-Tassilly pour se rendre au Mont-Joly. Elle longe la chapelle dédiée à Saint-Quentin, le guérisseur de la coqueluche, va s'asseoir sur un banc de pierre devant le petit portail en fer forgé dont elle conserve pieusement la clef, et vend des cartes postales jaunies qui représentent ses aïeux, figés comme des gardes suisses devant le mausolée, dont elle entonne aussitôt la devise : « D'être gardienne je suis fière ! N'est-ce pas un poste d'honneur ? Comme Joly, je désire et j'envie reposer là — pour toujours y dormir. Sur ce rocher : culte du souvenir ! » Elle n'autorise la visite du jardinet planté de lilas, de buis, de troènes et d'une poignée de fleurs artificielles qu'après avoir déclamé, en fermant les yeux et d'une voix appliquée d'écolière méritante, les vers grandiloquents gravés sur les flancs du tombeau, au bord du précipice : « Voyageur, poursuis ta route et demande à ton cœur qu'il ne perde jamais ce qu'il aime » ; « À la mélancolie ! Elle n'est plus, cette femme adorable, favorite des ris, des grâces et des amours, Joly n'est plus, la Parque inexorable a tranché le fil de ses jours » ; « Âmes indifférentes et froides, fuyez loin de ce séjour, l'air qu'on y respire est l'élément des cœurs sensibles ».

Le plus souvent, des journées entières passent sans qu'Huguette Kermaïdic voie âme qui vive. Pour autant, elle dit qu'elle ne s'ennuie pas et qu'elle est là, même les jours d'hiver glacials, pour tenir la promesse qu'elle fit à son père de veiller sur cette jeune vie. Elle craint seulement que la fonction s'éteigne avec elle, car ses enfants n'ont guère l'intention de devenir à leur tour les sentinelles d'un fantôme de plus en plus lointain. Postée à l'entrée du sanctuaire dans la position d'une bergère, tête basse et jambes écartées, elle prend alors son tricot dont elle lève les yeux pour admirer les chevreuils qui gambadent dans les hautes herbes du champ abandonné où, il y a deux siècles, galopait le cheval équitable de Marie Joly.

Desdémone et Othello

De cette grande voix qui fit trembler le monde au début du XIXe siècle et pleurer, à Londres, Bellini soi-même, il ne reste rien. Rien, sinon une légende que Musset, dans ses vers, éleva à la hauteur d'un mythe.

Fille du ténor Manuel Garcia, qui fut un Almaviva tyrannique, et sœur de la mezzo Pauline Viardot, Maria-Felicia Garcia, alias la Malibran, vécut peu, vite et partout. D'origine espagnole, née à Paris, mariée une fois à New York, l'autre à Bruxelles, volant de scène en scène, portée par une ferveur presque mystique, celle qui fut Desdémone et Norma mourut, en 1836, à Manchester, des suites d'une chute de cheval. Elle avait alors vingt-huit ans et était enceinte.

Sa seule patrie fut l'opéra universel. Et son unique amour, ce fringant et bouillant Othello à la robe noire qui, après l'avoir fait tomber, comme enivré par son propre emballement, traîna par terre la jeune mezzo-soprano pendant un temps qui sembla infini. Traité comme un criminel, le cheval fut exécuté dès son retour aux écuries. Malgré une hémorragie au cerveau, la Malibran parvint à se relever pour chanter une dernière fois, en titubant, des airs de Rossini, Bellini, Donizetti, et puis elle s'écroula, accrochée au rideau de scène. Le chant du cygne d'une cavalière.

Les funérailles eurent lieu à Manchester, après quoi son corps traversa la mer et, tiré par des chevaux plus sages, plus lourds, fut rapatrié à Bruxelles où son mari, Charles-Auguste de Bériot, premier violoniste du roi de Hollande, fit construire pour elle, dans le cimetière de Laeken, un mausolée devant lequel Musset s'abandonna à son désespoir : « Où vibre maintenant cette voix éplorée, / Cette harpe vivante attachée à ton cœur ? »

Lady cavalière

Entre Chéreau et le cheval, elle a choisi le cheval, et Chéreau lui en veut encore. Mais c'était plus fort qu'elle, irrépressible comme le désir sexuel ou le commandement divin : elle devait monter, et rien ne l'en empêcherait.

La scène se passe à Québec, pendant l'été de 2010. Marina Hands y tourne le film de Claude Miller, *Voyez comme ils dansent*. À son retour en France, l'inoubliable Ysé de *Partage de midi*, de Paul Claudel, se prépare à retrouver la voie royale du théâtre. Elle doit jouer *Rêve d'automne*, de Jon Fosse, avec Pascal Greggory, mis en scène par Patrice Chéreau, qui sera créé en novembre au musée du Louvre et prolongé au Théâtre de la Ville, avant de partir en tournée dans les plus grandes salles d'Europe. C'est alors qu'elle reçoit, via Skype, un appel de la réalisatrice Patricia Mazuy, qui se rappelle soudain à son bon souvenir : « Ça y est, on est prêt à tourner ! J'ai les financements et les partenaires télé, Bruno Ganz et Josiane Balasko ont signé, on n'attend plus que toi ! »

Dans sa chambre d'hôtel, au Canada, Marina Hands est abasourdie. Elle n'avait plus entendu parler de ce projet depuis quatre ans et n'y croyait plus guère. Lorsqu'elle avait rencontré Patricia Mazuy, en 2006, juste avant la sortie, sur les écrans, de *Lady Chatterley* (le film de Pascale Ferran qui allait lui valoir le César de la meilleure actrice), le projet de *Sport de filles* n'était encore qu'une chimère. Il n'y avait même pas de scénario. Seulement l'envie, chez la cinéaste radicale de *Saint-Cyr*, de faire un film sur la passion folle de l'équitation et la haute exigence du dressage. Elle avait demandé à voir Marina Hands. Pas la comédienne, non, mais la cavalière qu'elle avait été. Au lieu de lui faire passer les traditionnels essais en studio, elle l'avait fait venir dans sa ferme normande, où elle l'avait filmée à cheval, en contre-plongée. Patricia Mazuy l'avait ensuite conduite, afin qu'il la jauge, la teste et l'éprouve, chez le charismatique Patrick Le Rolland, ancien écuyer du Cadre noir de Saumur et entraîneur de l'Équipe de France de dressage. Le maître l'avait vite rassurée : « On voit qu'elle vient du CSO (concours de saut d'obstacles), elle ne connaît rien au dressage, mais c'est une bonne cavalière. » Pour sa part, la réalisatrice de *Peaux de vaches* avait encore une réserve, une dernière : elle jugeait la fille de l'actrice française Ludmila Mikaël et du metteur en scène britannique Terry Hands trop gentille, trop policée, trop Earl Grey et Laura Ashley, pas assez brutale, butée, caractérielle, ingrate, pour le rôle que, en secret, elle lui préparait. « C'est ma concentration à cheval qui l'a finalement convaincue », suggère Marina Hands, ravissante alanguie dont seuls les yeux fauves révèlent la ronceuse sauvagerie.

Après cette excursion aux champs et cette brève remise en selle, Marina Hands n'eut plus de nouvelles de Patricia Mazuy. Elle tourna des films, dont *Le Scaphandre et le Papillon*, de Julian Schnabel, *Le code a changé*, de Danièle Thompson, *Une exécution ordinaire*, de l'écrivain Marc Dugain, et *Ensemble nous allons vivre une très, très grande histoire d'amour*, le film de Pascal Thomas qui porte bien son titre — c'est sur ce plateau qu'elle rencontra, en effet, le chanteur Julien Doré. Au théâtre, la nouvelle pensionnaire de la Comédie-Française joua dans *Tête d'or*, de Claudel, et *Le Misanthrope*, de Molière. Partout, on se disputait la lumineuse actrice de *Lady Chatterley* et de *Partage de midi*. Elle allait relever le défi d'être dirigée par Chéreau au Louvre quand, sortie enfin du long tunnel où errent les « cinéastes du milieu » en quête d'argent, Patricia Mazuy lui téléphona au Québec. « C'était digne du *Choix de Sophie*, raconte Marina Hands. Pendant quelques jours, j'ai hésité, je me suis pris la tête, j'en ai discuté avec Claude Miller. Et puis, j'ai dit oui à Mazuy et non à Chéreau. Il m'a répondu que j'avais peur du rôle et de la pièce. C'est faux. En acceptant *Sport de filles*, j'avais simplement un compte à régler avec moi-même. L'enjeu

51

dépassait le film. Mais ça, Chéreau ne voulait ni ne pouvait le comprendre. Pour moi, il s'agissait rien de moins que de retrouver, à cheval, mon équilibre perdu. »

Flash-back. À la fin des années 1980, une adolescente ne vit que pour les chevaux. Elle monte, dans un club de Deauville, depuis l'âge de cinq ans. Elle a la niaque. Sur les concours, elle vole au-dessus des obstacles, n'en finit pas d'engranger les coupes et les flots. Remarquée pour ses dons, la surdouée de la ligue de Normandie est admise dans l'Équipe de France, catégorie poneys. Mais être en selle le week-end ne lui suffit plus. Elle veut sacrifier à sa passion tous les jours. Sa mère, Ludmila Mikaël, l'autre grande Ysé de *Partage*, en appelle à Jean Rochefort, dont les chevaux sont montés par Jean-Maurice Bonneau, le futur entraîneur de l'Équipe de France de CSO. C'est dans les écuries de ce dernier, au cœur des Yvelines, que, en sortant du lycée, Marina Hands vient s'aguerrir, sous les ordres des champions Jean-Maurice Bonneau et Gilles de Balanda. C'est là qu'elle fait la connaissance d'un autre jeune cavalier promis à un bel avenir, son contemporain Guillaume Canet. Du poney, elle passe au cheval. Le sien, qu'elle lance sur des barres de plus en plus hautes, dans un monde de plus en plus clos. Cela s'appelle la vocation. Elle y ajoute l'abnégation et l'oblation. Elle déteste la coquetterie, ne travaille qu'à muscler ses longues cuisses et tremper son caractère. Après son bac, elle décide de devenir cavalière professionnelle, aspire au top-niveau et se met en quête de sponsors. Elle a dix-huit ans et tutoie le ciel. C'est le plus bel âge de la vie. Et soudain, la tempête.

Elle se souvient : « J'étais dans l'Équipe de France Jeunes cavaliers quand j'ai été sélectionnée aux championnats d'Europe et, une semaine avant de concourir, mon cheval s'est blessé au boulet. J'ai été remplacée. L'année suivante, le même scénario s'est répété à l'identique. J'y ai vu une malédiction. J'ai craqué, dégringolé, pris dix kilos, plongé dans la dépression. Je n'avais pas le mental pour résister à une telle catastrophe. Alors, je suis partie, le cœur brisé. L'équitation, c'est tout ou rien, c'est une passion sacrificielle. Du jour au lendemain, j'ai changé d'amis, de mode de vie, d'ambitions. En quittant ma bulle, j'ai rejoint la civilisation. Seul mon corps continuait de me rappeler ce passé que j'avais renié : la nuit, je rêvais de chevaux, de concours, de ce sport qui m'avait fondée, constituée, éduquée. J'ai vécu une période de déséquilibre profond. Si je suis devenue comédienne, si je suis entrée au Conservatoire d'art dramatique et à la London Academy of Dramatic Art, c'est moins par désir que pour me soigner, me déverrouiller, me désinhiber. Le théâtre a été ma thérapie. »

Elle dit d'ailleurs qu'elle n'a jamais appartenu au petit monde du spectacle et ne ressemble guère aux autres actrices — elle dont Pascale Ferran avait tant aimé que, avant de lui confier le rôle de

Lady Chatterley, elle fût la seule à venir aux essais sans maquillage. «Je suis timide. Je sors très peu. Je n'angoisse pas si je n'ai pas un rôle. Je suis inapte à la stratégie. Je me fous de mon image. Je suis trop entière pour composer et me partager. C'est la raison pour laquelle je ne suis restée que deux ans à la Comédie-Française. J'adorais cette maison, cette troupe, mais j'étais incapable de travailler avec plusieurs metteurs en scène en même temps, d'être à la fois la Célimène du *Misanthrope* et la Ysé de *Partage*. Je suis une actrice qui se laisse vampiriser par son rôle. Quand je montais, c'est le cheval que je mettais en lumière. Au théâtre ou au cinéma, c'est pareil : je ne cherche qu'à disparaître dans mon personnage. En fait, je ne m'intéresse pas à moi.» Elle dit ça en riant, un rire de cascade qui coule, inextinguible, de sa bouche dessinée par Jane Austen.

Dans le film de Patricia Mazuy, elle joue un peu sa propre histoire. Celle d'une sauvageonne qui a du mal à entrer dans l'âge adulte, d'une femme-enfant asociale, d'une cavalière de saut d'obstacles qui découvre la rigueur du dressage de haute école, et doit apprendre à passer de l'horizontalité à la verticalité. Elle a une volonté de fer et une tête d'oxymore — elle s'appelle Gracieuse et elle est revêche. Simple palefrenière sans fortune ni destin, elle fera tout, quitte à tomber dans l'illégalité, pour obtenir d'un entraîneur allemand désabusé (c'est le légendaire Bruno Ganz) qu'il l'initie à la magie du piaffer, du passage, de

54

l'appuyer et de la pirouette au galop. « Gracieuse est la fiancée éternelle des chevaux qui n'aime pas les hommes, suggère Marina Hands d'une voix soudain mélancolique. Fille de paysans, elle n'a jamais eu accès à la culture. L'art, l'esthétique, le beau, elle ne les découvre qu'en montant. D'ailleurs, à pied, elle ressemble à un mec bourru, cogneur, fonceur. La grâce, elle ne l'acquiert qu'en selle, où le dressage s'apparente à de la danse classique. J'en ai tellement côtoyé, des Gracieuse, dans les centres équestres que j'ai fréquentés. Si vous saviez comme je m'y retrouve aussi… »

Sur le tournage, à la recherche du temps perdu, tout le bonheur qu'elle avait connu à cheval est revenu avec une incroyable violence. Avec également, les douleurs dans le dos et les courbatures dans les cuisses qui lui rappelaient combien elle avait été infidèle, depuis dix-huit ans, à ce grand animal dont la mémoire est prodigieuse. « À raison de quatre heures d'équitation quotidiennes sur quatre chevaux différents, je suis repartie de zéro, mais je me suis enfin réconciliée avec moi-même, j'ai retrouvé mon équilibre. » Désormais, la belle et absolutiste Lady Chatterley ne touche plus terre. Elle galope botte à botte avec Guillaume Canet, son ancien camarade des écuries Bonneau, dans *Jappeloup*, le film que tourne Christian Duguay en Espagne, où elle interprète la femme du champion olympique Pierre Durand. Elle voudrait avoir à nouveau son cheval, qu'elle travaillerait sur le plat afin d'exceller, comme Gracieuse, en dressage. Elle rêve même de rejoindre un jour, à Versailles, l'Académie du spectacle équestre où officie son dieu, Bartabas, dont elle admire tant le théâtre sans texte et les chevaux artistes.

Celle qui a joué dans *Le Marchand de Venise*, *Mademoiselle Else*, *Phèdre* et *Marie Stuart*, confesse que le trac est moins fort d'entrer en scène que sur un terrain de concours et qu'elle se remet davantage en question sur des étriers que dans un costume. Elle ajoute même qu'elle se sent plus impudique à cheval, dans une veste cintrée et des bottes cirées, que dans les dernières scènes de *Lady Chatterley*, où elle dansait nue sous la pluie et où le garde-chasse Parkin piquait sa toison brune de fleurs des champs diaprées. C'est peut-être cela, le privilège de l'équitation : elle vous restitue l'innocence que le temps a saccagée. À trente-six ans, quand elle sourit, l'élancée Marina Hands est encore une fillette bilingue qui monte, sous l'œil attendri de son père, un poney albinos aux yeux bleus dans un club du Warwickshire.

L'ange et la bête

Sourire au vent, il est arrivé en trottinette place de la Bourse, où je l'attendais. Tout glisse pour lui. Gérard Lesne, sublime voix de haute-contre et corps maigre de cavalier, ne fait pas ses cinquante ans. Il entretient les deux avec équanimité. « Chanter est un sport, dit-il, au même titre que le tennis ou l'équitation. »

À la tête de sa formation, *Il Seminario musicale*, il vient d'enregistrer les œuvres profanes de Charpentier ; chante la *Passion selon saint Jean*, de Bach, au Théâtre des Champs-Élysées ; organise une session de formation à Royaumont autour d'un opéra de Vivaldi ; prépare avec Jean-Philippe Viret, Ramón López et Bruno Angelini un album de jazz dont il a écrit les textes d'après des tableaux de Magritte et Mondrian ; et travaille avec Valérie Fratellini à un spectacle équestre pour la réouverture, en septembre, du château de Lunéville.

Car, en plus, il a le goût des chevaux, qu'il partage avec la grande soprano Natalie Dessay, cavalière lyrique à Marolles-en-Brie. Gérard

Lesne connaît par cœur le traité d'équitation de Xénophon. Il a acheté, il y a trois ans, un entier fougueux, Joy, avec lequel il a manqué se rompre le cou : au cœur de la forêt de Montmorency, l'étalon priapique s'est cabré et retourné. L'inoubliable interprète des *Leçons de ténèbres* a reçu six cents kilos sur lui. Depuis, prudent, le chanteur l'a fait castrer. N'empêche, tous les matins du monde, il est en selle. Sur les barres, il fait à la fois l'ange et la bête. Et se rappelle la devise de Saumur, « calme, en avant et droit », pour l'appliquer aussitôt à son art où la sincérité l'emporte sur la virtuosité.

On voit par là que, dans le monde clos du baroque et la famille en or des contre-ténors, Gérard Lesne, père de trois enfants, n'en finit pas de se distinguer. Il ne sacrifie pas à l'angélisme pleureur de ses pairs, nous épargne les complaisances séraphiques et le maniérisme androgyne. Ce n'est pas un poseur ambigu. (D'ailleurs, l'opéra n'est pas son affaire, il n'aime guère jouer la comédie, il excelle plutôt dans la solitude du *Ombra mai fu*, de Haendel.) L'absolue pureté de sa voix, de tête comme de poitrine, tient à des évidences : la simplicité, la clarté, la limpidité. Plus une diction parfaite. Autant de qualités dont son meilleur élève, Philippe Jaroussky, a hérité.

Contrairement à William Christie, dont il a autrefois accompagné les Arts florissants jusqu'à un mémorable *David et Jonathas*, Gérard Lesne, aussi à l'aise dans le sacré que dans le profane, n'est pas un monomaniaque. Ce caméléon aime Miles Davis et Pergolèse, Massive Attack et Couperin, la guitare électrique et la viole de gambe, le synthé et le sacré, l'anglais et le latin, le rock et le baroque. Déjà, il trouve la vie trop courte : il voudrait écrire et peindre davantage, composer de nouvelles musiques électroniques dans son home studio d'Asnières, monter plus et mieux, pratiquer tous les arts « à l'extrême ». L'homme ressemble à sa voix, celle d'un enfant curieux de tout, qui ne voudrait pas vieillir.

Né en 1956 dans une famille en blouse blanche — père obstétricien, mère infirmière —, il a découvert sa vocation à quatorze ans lorsque, contrairement à ses copains, il n'a pas mué. Ébahi par sa voix, son professeur de chant lui annonce qu'il possède « un don du ciel ». En ce temps-là, le petit Gérard en pique pour Pink Floyd et Dick Annegarn. À vingt ans et des poussières, sans passer par la case Conservatoire, l'autodidacte découvre, grâce à René Jacobs, la musique italienne du XIIe siècle, « un choc, un émerveillement ». Après un détour par le Clemencic Consort et son répertoire médiéval, il crée son ensemble, avec théorbe, clavecin, orgue, flûte et violons, obtient le soutien de France Télécom, enregistre les cantates de Vivaldi, rafle plusieurs victoires de la musique et devient enseignant à l'abbaye de Royaumont.

Avec Charpentier (1643-1704), qui ne fut pas seulement un compositeur, mais aussi un haute-contre, Gérard Lesne dit qu'il a des «affinités intimes et secrètes». Il a adoré ressusciter, dans cet album, des œuvres qui vont d'*Orphée descendant aux enfers* aux *Airs sérieux et à boire*, en passant par les *Stances du Cid* qui rappellent combien, en son temps, le compositeur fut l'allié musical des grands écrivains, Corneille, Molière et La Fontaine. Une fois de plus, Lesne va droit à la simplicité et s'interdit de rouler les *r* afin de montrer la modernité des textes, d'aller à l'«essence des choses». Ainsi cet étonnant *Epitaphium Carpentarii* dans lequel Charpentier s'imagine revenir sur terre après sa mort : «J'étais musicien, considéré comme bon parmi les bons et ignare parmi les ignares. Et comme le nombre de ceux qui me méprisaient était beaucoup plus grand que le nombre de ceux qui me louaient, la musique me fut de peu d'honneur mais de grande charge ; et, de même qu'en naissant je n'ai rien apporté, en mourant, je n'ai rien emporté…»

Haut perché de voix et de corps, galopant de l'aigu au grave, le chanteur-cavalier, jamais épuisé, toujours léger, se demande parfois si les dieux ne seraient pas «jaloux du bonheur de [sa] vie». Nous, si.

Le maître étalon

Fin juin 2006, Jean Rochefort sort du plateau de *J'ai toujours rêvé d'être un gangster*, un film de Samuel Benchetrit avec Anna Mouglalis et Édouard Baer, et il est hilare : « Mon cher, si vous saviez ! On tourne dans des parkings inhospitaliers et quelques lieux sinistres. C'est très drôle, c'est même enthousiasmant. Et puis, imaginez qu'aujourd'hui tout le décor a pris feu accidentellement. Quelle chaleur ! Tout va bien, tout va vraiment pour le mieux. » Et de se gausser comme un gavroche dans un magasin de farces et attrapes qui aurait explosé. Auparavant, le plus british de nos acteurs était dans la campagne anglaise, où Antoine de Caunes réalisait *Désaccord parfait* : « Antoine est très obligeant, il a bien voulu m'offrir mon ultime rôle d'amant. On a même tourné une scène sexuée. La belle Charlotte Rampling me chevauche, me chevauche, oh ! mon cher, quelle galopade, il me semble même avoir éprouvé une légère chaleur dans le bas-ventre, c'était proprement délicieux ! »

Contrairement à son frère, qui est huissier à l'Académie française, Jean Rochefort est un homme désespéré que le grand âge a rendu loufoque. Il a arrêté le Temesta en même temps qu'il cessait de prêter sa voix à Bourriquet, l'âne dépressif et bouffeur de chardons. À soixante-seize ans, il porte des pantalons violets, des vestes blanches, des châles roses, d'immaculés feutres de parrain et des baskets américaines fluo. Ou des babouches marocaines. Parfois, il a un rire d'aliéné en liberté, des gloussements de gélinotte d'Écosse et un débit onctueux de prélat romain en conclave. Si on lui demande en quoi il croit, il répond avec gravité : « En l'humus. »

Pendant l'Occupation, le petit Jean se réfugiait dans la niche de son chien. Aujourd'hui, il se tortille avec une agilité reptilienne, s'ébroue tel un yearling, dodeline à la manière d'une girafe, prend le regard d'un cocker neurasthénique, appelle ses chevaux « mes oiseaux » et donne du « mon petit lapin » à ses visiteurs. Décidément, il y a de l'animal chez l'infidèle mari d'*Un éléphant, ça trompe énormément* et le vétérinaire du *Bal des casse-pieds* à qui, souvenez-vous, une guenon pas farouche roulait une pelle d'anthologie. « Je suis en effet un comédien zoologique. Pour jouer, je ne m'inspire pas des ténors des tréteaux mais des bêtes. Je me rappelle que, dans *Ridicule*, de Patrice Leconte, où j'incarne un parfait courtisan, j'avais longtemps travaillé les mouvements de la grue cendrée. J'apprends également beaucoup des grands singes. » À l'époque où il répétait *Boulevard du mélodrame*, sous la direction d'Alfredo Arias, il expliquait ainsi sa méthode : «Je mets du renard dans mon loup. » Vingt ans plus tard, la formule demeure parfaitement énigmatique. Lui-même ne se l'explique pas. Et c'est ainsi que Jean est grand.

Décoré du Mérite agricole, il aime la Patagonie, la paléontologie et les anthropoïdes. Le monde équestre, peu cinéphile, le tient mordicus pour un éleveur professionnel : «Je n'oublierai jamais la vente des étalons de Saint-Lô, où j'allais depuis vingt-cinq ans, lorsqu'un vieux Normand s'est approché de moi et m'a dit : "Tiens, je t'ai vu hier à la télé, je ne savais pas que tu faisais aussi du cinéma."» En somme, Jean Rochefort est un homme de cheval qui joue la comédie, et s'en amuse. Il est d'ailleurs aussi fier d'avoir réalisé avec Blandice, sa jument pur-sang, le premier transfert d'embryons en France que d'avoir connu Giacometti ou été l'acteur fétiche, en France, d'Harold Pinter.

Car il fut l'un des meilleurs interprètes, sur scène et souvent avec Delphine Seyrig, du théâtre anglo-saxon, de David Mamet à James Saunders ou Peter Nichols. Il en a conservé, à la ville, une pratique constante de l'understatement, cet art de dire des horreurs en sirotant une tasse de thé à la bergamote et de plonger dans des gouffres en conservant sa dignité. Rochefort ? Une âme vertigineusement sombre sous un smoking blanc. De son métier de saltimbanque, il dit qu'il l'a sauvé de la panique qu'il a toujours éprouvée à vivre et à craindre de devoir mourir un jour. C'est un sceptique sujet à des crises d'euphorie, un misanthrope urbain, un timide contrarié, un maître du jeu distancié qui ne s'est jamais pris au sérieux.

Après avoir successivement habité un couvent cistercien, un hôtel qui donnait sur les Folies-Bergère, un pavillon de banlieue en meulière et une ferme-modèle, il vit le plus clair de son temps dans une maison bourgeoise située près de Rambouillet, où il câline une demi-douzaine de chevaux sénescents en regrettant l'époque où il était éleveur à plein temps et faisait du cinéma pour payer ses saillies et construire de nouvelles écuries en teck. « J'ai ainsi tourné au Brésil un film désespérant de connerie pour m'offrir des leçons particulières avec Nelson Pessoa, deux fois vice-champion du monde en saut d'obstacles. » Il fut un temps, en effet, où son royaume des Yvelines comptait plus de trente-cinq cracks de jumping, qu'il faisait monter par Jean-Maurice Bonneau, l'entraîneur de l'Équipe de France, et le très médaillé Gilles Bertrán de Balanda. Certains de ses plus beaux spécimens s'appelaient Nashville-Jack Daniel's et Oxford-Chivas. Car le cavalier ne détestait pas le whisky. D'autres, plus enclins à cabotiner, étaient baptisés Irma la Douce, Bout de souffle, Casque d'or, Derzou Ouzala et Brume des Quais.

Aujourd'hui, chez Jean Rochefort, père de cinq enfants, la fièvre de cheval n'est pas retombée.

« Tenez, je vais bientôt faire rentrer trois poulains. Et puis ma fille de seize ans est en train de reprendre le flambeau. Elle sort actuellement en concours avec une jument qui est la fille d'Alphaville, mon grand étalon. » Sa deuxième femme, Nicole Garcia, voulait croire que les chevaux sont carnivores : il s'en est donc séparé. Heureusement, la troisième, Françoise Vidal, une architecte de vingt ans sa cadette, dont il dit que, pour le physique, elle emprunte à la fois à Rita Hayworth et à la veuve du général de Lattre de Tassigny, est une excellente cavalière de saut d'obstacles. Avec elle, le cavaleur s'est assagi.

Le stakhanoviste de la pellicule a également cessé, depuis belle lurette, de faire carrière. Il ne travaille plus qu'à se faire plaisir. Sa dernière lubie a été de marier Fernand Raynaud avec Erik Satie, d'ajouter la musique du faux fantaisiste aux sketches de l'humoriste atrabilaire. Le spectacle s'appelait *Heureux ?* Il était en vérité d'une mélancolie poignante. Jean Rochefort l'a créé à la Comédie des Champs-Élysées en 2004 et n'a cessé, depuis, de le présenter à travers la France. Il se reconnaît volontiers dans le destin de ces deux artistes rongés par le mal de vivre, deux grands paumés, deux écorchés drolatiques, deux pitres douloureux et suicidaires. L'humoriste est mort à quarante-sept ans au volant de sa Rolls-Royce sur la route de Riom et le compositeur, d'une cirrhose à cinquante-neuf ans. Lorsqu'elles sont portées par un Rochefort abstème et caméléon, les histoires de Fernand Raynaud deviennent drôles à pleurer.

Des grands-ducs du cinéma français des années 1970, le mari de la coiffeuse reste le moins contrôlable et le plus délirant. « Il est complètement fêlé », dit de lui, avec jubilation, Patrice Leconte, qui l'a dirigé dans une demi-douzaine de films. L'ami Belmondo, que Rochefort a toujours considéré comme « un australopithèque sauvage », est fatigué. Depuis *Tous les matins du monde*, Jean-Pierre Marielle semble n'être jamais redescendu vraiment de la cabane en bois où il jouait, avec gravité, de la viole de gambe. Et Philippe Noiret, le bienheureux complice en galops forestiers, est mort après avoir vécu au rythme de ses souvenirs du TNP et boudé de plus en plus son époque. Au contraire, l'austère capitaine du *Crabe-Tambour* ne cesse de rajeunir.

Il est né à Dinan en 1930, sous la IIIᵉ République. Son grand-père était cocher et son père, Célestin, « cadre pétrolier ». Il a grandi à Nantes où il s'ennuyait à périr. Il a même été représentant d'oignons de glaïeuls. « C'est pendant cette adolescence désespérante, raconte-t-il, que j'ai décidé de vivre en marge de la société. » Il hésita entre clown, jockey et saint-cyrien. Désobéissant à son père, qui aurait préféré le voir intégrer une école de comptabilité, il entre, à dix-neuf ans, au Centre d'art dramatique de la rue Blanche, puis au Conservatoire, où son professeur, Georges Le Roy, fin nez, lui assène déjà : « Tenez votre cheval,

Monsieur Rochefort, tenez votre cheval ! » C'est là qu'il côtoie ses futurs camarades de jeu, Jean-Paul Belmondo, Jean-Pierre Marielle, Claude Rich, Guy Bedos et Bruno Cremer : « Nous formions une bande de scepticoricaneurs. » Dans les années qui suivent, années molles selon lui, il rejoint le soir la Compagnie Grenier-Hussenot pour jouer les troisièmes couteaux dans des farces, s'inventer un accent marseillais et se mettre à poil dans des éléphants en éponge. L'essentiel de ses journées est consacré à dormir, à boire du beaujolais et à jouer au ping-pong. Signe astrologique : taureau ascendant marmotte.

Il fait ses débuts au cinéma dans des films historiques. À trente ans, il est l'acteur fétiche de Bernard Borderie, le réalisateur oublié d'*Angélique*, plus soucieux de ses recettes que de son art. Longtemps il n'a été qu'un brillant comédien dont Philippe de Broca, Yves Robert, Bertrand Tavernier ou Patrice Leconte utilisaient l'élégance décalée et le charme suranné. Il excelle dans les emplois d'ecclésiastiques mondains, de lovelaces maladroits, de flics à l'ancienne, d'agents secrets très reconnaissables, de cadres coincés et surtout de solitaires en rupture de ban. Comment oublier son interprétation, dans *Tandem*, d'un animateur radio aigri et ringard, pathétique matamore en tournée sur les départementales ? Aux héros entiers, il préfère les personnages brisés. Jean Rochefort dissimule son hypocondrie sous sa moustache, à laquelle il

attribue la vertu d'horizontaliser son visage verti-
cal. Lorsque parfois il la rase, il a l'impression
d'avoir oublié son slip. Il n'aime pas être à poil,
c'est un grand pudique. Avec lui, les blessés sont
fermés de l'intérieur.

Sur les quelque deux cents films qu'il a tournés,
dont beaucoup sur les conseils de son banquier
(« Quand je pense à tous les dialogues inexistants
auxquels j'ai prêté ma voix, j'en demande pardon
aux spectateurs ! »), il n'en aime vraiment qu'une
petite dizaine dont *L'Horloger de Saint-Paul*,
de Bertrand Tavernier, *Le Crabe-Tambour*, de
Schoendoerffer, *Un étrange voyage*, d'Alain Cavalier, et *Cartouche*, de Philippe de Broca, sans
lequel il n'aurait jamais mis ses fesses sur un cheval ni appris à tenter de se faire obéir par lui.

Le génie est venu plus tard, avec la douce folie
que le temps libérait et que la notoriété autorisait.
En vérité, le déclic date de 2000. Cette année-là, il
tourne en Espagne, sous une armure de vingt-
cinq kilos, le *Don Quichotte* de Terry Gilliam. Il est
aux anges. Ce rôle du chevalier à la triste figure,
c'est l'acmé et le résumé de sa vie. Mais il est fou-
droyé par une double hernie discale. Il doit aban-
donner le plateau, est opéré d'urgence et restera
couché sept mois en lisant *Voyage au bout de la
nuit* — c'est le seul acteur à qui Céline donne de
l'espoir. Le film ne se fera jamais. Aujourd'hui, il
plaisante : « Mon corps a coûté très cher aux assu-
rances. » Mais lorsqu'il se relève enfin, Jean est un
autre.

D'abord, et c'est pour lui l'essentiel, il ne peut plus monter. Les médecins le lui interdisent et son squelette s'y refuse. Il se met alors à dessiner des selles orthopédiques et à faire des rêves de centaure que, malheureusement, il ne réalisera jamais. Rochefort-sur-mer en est désormais réduit à faire du kayak dans les golfes clairs et à taquiner les demoiselles, des petits crabes, sous les rochers de Saint-Briac. L'énergie qu'il ne peut plus brûler à cheval, il la déploie sur les terrains de concours hippiques du monde entier. Il commente pour France 2 les épreuves équestres des jeux Olympiques d'Athènes. À chaque saut d'obstacle, il s'enflamme, s'époumone, délire, manque tomber de sa chaise. Il compare les meilleurs cavaliers à des «Mozart en lévitation» et Nicolas Touzaint, jeune champion de concours complet, à l'archange Gérard Philipe dans *Sodome et Gomorrhe*. Aux téléspectateurs médusés, il explique en direct comment il a vu «un vétérinaire faire une suture sans anesthésie sur la verge d'un cheval». Lorsqu'il rentre en France, l'acteur de *Tandem* est devenu une star du micro: «On m'a accueilli à Orly comme si j'étais la réincarnation de Jeanne d'Arc. »

Il se dépense aussi pour la Fédération française d'Équitation. Il réclame un sport moins compassé, plus festif. Il imagine pour les cavaliers des tenues simples, sans veste ni cravate, et impose le port d'un simple blouson. Il veut que chaque concours soit un spectacle en musique. Avec lui, les sports équestres s'apparentent à la commedia dell'arte. Il met Feydeau sous abri chez La Guérinière et serait capable de transformer les carrousels du Cadre noir en rave party.

Comme le cavalier redevenu piéton à son corps défendant, l'acteur se cherche de nouvelles aventures, «si possible incongrues». Un mouvement irrépressible le pousse à rejeter les scénarios académiques et à ne choisir que la nouveauté, «le merveilleux inconfort des rôles baroques». Celui qui a fait ses débuts devant les lourdes caméras d'Henri Decoin et de Jacques Deray en pique désormais pour les inconnus qui le surprendront et qui, dit-il, «réchauffent ses articulations», soignent ses «rhumatismes cérébraux»: Pierre Salvadori, Guillaume Nicloux, Philippe Lioret, Fabien Onteniente, Charles Finch, Alejandro Agresti, Bernie Bonvoisin, Jean-Louis Guillermou. Il a été le second rôle préféré des vieux réalisateurs, il est maintenant le premier rôle adulé des jeunes cinéastes. Il n'est pas mécontent de prendre enfin sa revanche sur la Nouvelle Vague, qui avait eu tort de bouder cet ouragan du grand écran.

Celui qui racontait les histoires de Winnie l'ourson vient de donner sa voix caverneuse au Général dans *De Gaulle intime*, à la télévision. Il lui arrive d'ailleurs de pratiquer l'humour gaullien, lyrique et surjoué, des conférences de presse élyséennes. Avec, en prime, l'excentricité du vieil Aragon. «J'ai le sentiment d'être plus curieux,

moins amidonné qu'à quarante ans et d'être dis-
ponible pour les épopées les plus folles, confesse-
t-il. Voyez-vous, il faudrait avoir le cran de finir
en vieillard déraisonnable, comme Aragon. Après
nous avoir si longtemps bassinés avec Elsa — j'ai
bien connu sa sœur, elle me faisait peur tellement
elle était méchante, oh la vilaine ! —, il a terminé
sa vie avec une luxueuse nonchalance, en costume
blanc et panama, aux bras de jeunes gens écheve-
lés et bandés. Dites, mon cher, vous ne trouvez
pas que dans *Blanche*, le film de Bernie Bonvoisin
où la reine de France me traite de "connasse" et
où je déclare : "Je ne m'accroupis pas quand
je pisse", vous ne trouvez pas que je suis assez
aragonien ? » Rochefort, c'est *Le Paysan de Paris*
plus le *Traité du style*.

Avril 2010. Sur les écrans de France sort le film
Cavaliers seuls. On y voit un petit vieil homme sans
jambes, au visage poupin coiffé d'une casquette
d'étalonnier et recroquevillé tel un escargot dans
son fauteuil électrique, au milieu d'une carrière
d'Île-de-France trempée par les pluies d'hiver.
D'une voix faible, il donne d'inaudibles ordres et
d'illusoires conseils à un jeune cavalier, rectifie son
assiette, calcule ses foulées à l'abord d'un oxer,
l'exhorte à l'intrépidité.

L'élève ombrageux, silencieux, s'appelle Edmond
Jonquères d'Oriola, il a dix-sept ans et descend
d'une haute lignée équestre. Le maître handicapé a
soixante-dix-neuf ans, il a réchappé de deux
hémorragies cérébrales, de l'ablation d'un poumon,

de l'amputation des deux jambes, et il porte un pacemaker. Son nom : Marc Bertrán de Balanda — autre dynastie prestigieuse du saut d'obstacles. Fils de Pierre, vice-champion olympique, et père de Gilles, crack lui aussi, Marc brilla jadis, avec son cheval Labrador C, dans de nombreuses coupes des nations. De l'époque lointaine où il était instructeur du Cadre noir de Saumur, il avait surtout gardé la passion d'apprendre, d'entraîner, de transmettre.

Au Haras des Bréviaires, dont il était le directeur technique, Marc fut autrefois le professeur d'équitation de Jean Rochefort, qui enseignait, sur de grosses barres, une monte élégante, entreprenante, moderne. « Il était aussi, ajoute en riant le plus cavalier des comédiens, un grand séducteur, avec un besoin permanent de plaire et de conquérir. Ce devait être contagieux, car c'est chez lui que j'ai rencontré ma femme, Françoise. » Le 3 août 2006, Marc s'éteignit à l'hôpital de Rambouillet. Celui qui incarnait le traité d'Étienne Beudant, *Main sans jambes*, n'avait pas peur de la mort. Il l'attendait, avec cette longue patience qui est le privilège des écuyers.

Jean Rochefort ne l'a pas seulement accompagné jusqu'au bout. Pendant deux années, il l'a aussi filmé jour et nuit, avec la complicité de la réalisatrice Delphine Gleize. Même invalide, et souffrant le martyr, Marc Bertrán de Balanda continuait de frôler les chevaux, qui étaient sa seule raison de vivre, de se survivre. Il habitait un box d'écurie transformé en studio médicalisé, s'endormait en écoutant, derrière la paroi, les pur-sang s'ébrouer dans la paille chiffonnée. Dès que le soleil se levait, le roi déchu inspectait son empire révolu depuis son trône électrique, sillonnait les allées du haras, fonçait dans les haies d'aubépine, et allait dispenser un cours à Edmond, son «trésor», son unique promesse d'avenir.

Retour au box, Edmond le portait délicatement dans son lit où, devant la télé allumée, Martine venait masser ses moignons. Oh, Martine. Jamais une auxiliaire de vie ne mérita mieux son titre. Avec ses jupes courtes et son long sourire, elle réveillait, chez Marc, le don juan qu'il n'avait jamais cessé d'être. Elle lui offrait de la séduire encore et lui lisait, le soir, des poèmes tendres, un peu naïfs, de sa composition. Étonnant, boulever-sant trio soudé par des émotions tactiles et formé, en marge du monde réel, par un vieil homme crâ-neur, un adolescent taciturne et une infirmière sensuelle. Ensemble, ils justifient le pluriel du titre de ce film austère et lumineux : *Cavaliers seuls*.

Comédien prolixe mais réalisateur économe (on lui doit trois courts-métrages toujours consacrés à des vieillards, dont un sur l'acteur Marcel Dalio), Jean Rochefort me dit qu'il a voulu faire ce film pour illustrer une idée qui lui est chère : «L'abso-lue nécessité des autres. Marc n'aurait jamais pu prolonger son existence s'il n'y avait eu Edmond, auquel il a passé le témoin, et Martine, devant laquelle il est demeuré un homme entier. Et puis, il était d'autant plus heureux d'être filmé que les techniciens étaient des femmes… »

Mais comment ne pas voir dans ce documentaire sans commentaire un troublant miroir de cet autre cavalier empêché qui a passé plus de temps à monter des chevaux et à faire naître des poulains qu'à jouer la comédie ? Au seuil de ses quatre-vingts ans, il a finalement décidé de quitter ses écuries des Yvelines pour vivre à Paris, dans un beau rez-de-chaussée augmenté d'un jardinet japonais et situé derrière le musée d'Orsay où courent, sur les murs, de furieux étalons peints. « Pour moi aussi, chuchote-t-il, les chevaux ont été, pendant un demi-siècle, une raison de vivre. Mais je souffrais tellement, ces derniers temps, de ne plus pouvoir partir avec eux en forêt, que je n'arrivais même plus à caresser leur chanfrein. Pour me protéger, ou peut-être me sauver, j'ai mis de la distance entre moi et cette dévorante passion. » Désormais, il ne galope plus que la nuit, dans des rêves où parfois le rejoint son vieil ami Marc, et tous deux ont alors quatre jambes pour l'éternité.

L'apocalypse

Un an avant de mourir, Jean-Pierre Cassel, mal-gré sa fatigue, m'avait confié, un soir d'été sur la côte normande, son ultime rêve, qu'il n'eut pas le temps de réaliser : mettre en scène *Equus* et reprendre le rôle, où il avait vu autrefois triompher François Périer, du docteur Dysart. À Jean-Pierre, qui savait ma passion des chevaux, j'avouai alors mon ignorance : je ne connaissais pas la pièce de Peter Shaffer, ni le fait divers authentique dont le dramaturge s'était inspiré. Après notre conversa-tion, je la lus d'une traite dans l'adaptation qu'en donna, en 1973, Matthieu Galey. Ce fut, malgré ses défauts (le texte est trop bavard), un choc.

L'histoire, effrayante, tératologique, énigma-tique, tient à la fois de la tragédie grecque et de l'analyse freudienne. Une nuit, dans les écuries d'un manège anglais, un jeune palefrenier armé d'un crochet de fer crève les yeux des six chevaux dont il a la charge et qu'il monte en secret, à la nuit tombée, comme on s'accouple sur la paille. Dans l'hôpital psychiatrique où Alan Strang est interné, le docteur Dysart s'intéresse de près à ce cas inédit. Pourquoi a-t-il commis cette monstruosité ? Enfermé sur lui-même, Alan se tait ou bien chantonne pour n'avoir pas à répondre de son acte. Le médecin s'obstine. Il va lentement, patiemment, obtenir des aveux. Le terrible secret est caché dans l'enfance, bien sûr. Une enfance blessée où le père, athée, et la mère, très pieuse, tiennent une place capitale. « Les chevaux, explique Shaffer dans une note de mise en scène, sont comme le symbole du châtiment impitoyable, apocalyptiques. »

Je le confesse : ce n'est pas en spectateur mais en cavalier que, sur les conseils de Jean-Pierre Cassel, entre effroi et fascination, j'ai découvert cette pièce. Elle rassemble en effet tous les mystères qui, depuis la nuit des temps, entourent la mythologie de Pégase et s'attachent à la relation exclusive de l'homme avec cette monture légendaire. D'où vient que le quadrupède herbivore, hypersensible et craintif, ait accepté un jour de s'accoupler avec un bipède carnivore, agressif et arrogant ? Pourquoi l'équitation s'apparente-t-elle à une foi et à une mystique (relire la dix-septième sourate, où le prophète Muhammad, porté par sa jument al-Buraq, après être passé par La Mecque et Jérusalem, atteint au galop le septième ciel) ? Que possède donc de si particulier cet animal pour enseigner au cavalier qui le respecte les lois de la justice, de la liberté, de l'équilibre, de la puissance sans violence et de l'art éphémère ? Pourquoi est-il la meilleure des thérapies et le parfait moteur de la catharsis ? Et pourquoi l'homme fait-il de lui le meilleur confident de ses peines, de ses joies, de ses regrets, de ses espoirs ? Parce qu'il sait garder un secret ou parce qu'il semble comprendre ce qui est indicible, voir ce qui est invisible avec des yeux pénétrants auxquels, en les crevant, Alan croit échapper ?

Equus m'émeut dès le premier monologue, lorsque le psychiatre se demande « à quoi ça rime, le désespoir, pour un cheval », s'étonne de savoir soigner les enfants et d'être incapable de comprendre « ce qui se passe dans la tête d'un cheval ». Et puis, il y a cet adolescent ombrageux, solitaire, prosterné devant le dieu-cheval, qui me terrorise et m'obsède, à qui sa mère, lorsqu'il était petit, relisait sans cesse la même histoire du beau cheval indomptable : « Je m'appelle Sultan et je suis le prince des chevaux ! Seul mon jeune maître peut galoper sur mon dos ! Tous les autres, je les *terrasserai* ! » Car il aimait à la folie les flancs brûlants, la sueur, l'odeur des chevaux qu'il enlaçait avec l'ardeur d'un danseur de tango, il se laissait bercer par le bruit des sabots sur la route, il ne supportait pas qu'en échange de leur souffle, de leur puissance, de leur soumission, on les cravache et les éperonne. C'était un enfant sauvage qui arrivait à l'âge du premier amour.

Qu'est devenu aujourd'hui le vrai Alan ? Combien de temps est-il resté en prison ? A-t-il, à sa libération, renoué avec les chevaux, les a-t-il montés, a-t-il pensé à nouveau (la phrase est magnifique) : «C'était comme une montagne qui m'aurait obéi» ? Il s'en est fallu de peu que je parte pour la Grande-Bretagne mener mon enquête et tenter de retrouver, dans je ne sais quelle prison, ce criminel dont Dysart dit : «Il a un regard qu'on n'oublie pas.»

Didier Long porte à la scène ce texte rageur, emballé, hennissant, dont Sidney Lumet tira autrefois un film trop didactique, avec Richard Burton et Peter Firth. Je suis convaincu qu'il inspirerait également à Bartabas un spectacle d'une inquiétante beauté. Lorsque Peter Shaffer, à la scène 21 du premier acte, évoque «un mince pinceau éclairant le cheval et son cavalier, tandis que les masques des autres chevaux en captent faiblement les reflets», j'ai l'impression qu'il s'adresse au magicien de Zingaro qui fut, lui aussi, un adolescent rebelle et réfractaire avant que les chevaux, dont il est le disciple et non le maître, ne lui transmettent la sagesse des chamans, qui a tant manqué à Alan.

LE MORS ET LA PLUME

Les dadas de Flaubert

Même quand il ne montait plus, il continuait de galoper. Et lorsque, en Normandie, au Liban, en Tunisie ou en Égypte, il descendait de cheval, la tête en feu, c'était pour chevaucher sa plume et coucher sur le papier les phrases aux trois allures qui lui étaient venues en selle. Bon cavalier, Gustave Flaubert avait deux dadas, dont il « jouissait » pareillement : l'équitation et la littérature, l'une et l'autre ayant partie liée. Il convient d'y ajouter l'amour, en vertu du proverbe arabe qu'il se fit un malin plaisir d'envoyer, en 1851, à sa maîtresse, Louise Colet : « Le Paradis en ce monde se trouve sur le dos des chevaux, dans le fouillement des livres ou entre les deux seins d'une femme. » Vaste programme, en effet.

Agrégé de lettres et chercheur au CNRS, Pierre-Marc de Biasi est formel : il y a plus de cinq mille chevaux dans les textes de Flaubert, dont deux cents dans la *Correspondance*, quatre-vingts dans *Salammbô*, trente dans *Bouvard et Pécuchet*, et soixante-dix dans *Madame Bovary*, où, quittant leurs étriers respectifs, Emma et Rodolphe font l'amour pour la première fois au fond des bois, sous le regard complice de leurs montures. Dans les autres romans déboulent des hordes, des manades, dans de furieux galops. À en croire la Félicité d'*Un cœur simple*, il y en a même dans le ciel. Pour les multiples occurrences équestres, il faut faire confiance à Biasi, qui est flaubertien comme certains moines sont cisterciens. Gustave est son dieu. On ne compte plus les œuvres du démiurge qu'il a préfacées, les manuscrits qu'il a édités, les palimpsestes qu'il a déchiffrés, les ratures qu'il a décodées et les «secrets de l'homme-plume» qu'il a révélés. Il lit entre les lignes et sous les lignes. Biasi peut rédiger dix pages sur le mot «baquet», trouvé deux fois dans *L'Éducation sentimentale*, qui atteste le retour de Frédéric dans la réalité, ou consacrer tout un chapitre, magistral, à la phrase que Flaubert n'a jamais écrite : «Madame Bovary, c'est moi.»

Une telle religion pourrait mener à la folie, ou à l'intégrisme. Elle a inspiré à cet apôtre de l'ermite de Croisset un ouvrage emballant, emballé, qui invente son propre genre littéraire[1]. Ni biographie (on sait que Flaubert voulait totalement disparaître derrière son œuvre et qu'il fonda la théorie du retrait absolu) ni essai critique (on sait combien Flaubert aspirait à faire «un livre sur rien, qui se

1. *Gustave Flaubert, une manière spéciale de vivre*, Grasset, 2009.

tiendrait de lui-même par la force interne de son style »), l'entreprise de Pierre-Marc de Biasi est, en quelque sorte, une biographie critique et génétique de l'écrivain, depuis l'enfance du « jeune étalon fougueux » jusqu'à l'âge mûr du « vieux canasson qu'il ne faut pas brusquer ». Avec, entre-temps, une obsédante passion : « Gustave adore monter, partir à fond de train n'importe où, sauter les talus, au risque de la chute. Il va s'aguerrir jusqu'à l'excellence au fil des longues randonnées et des courses éperdues qu'il fera en Orient. S'envoler au galop, à travers les plaines ou le désert, dévorer l'espace, cheveux au vent, sous le ciel bleu… Pour lui, c'est l'Olympe. Et c'est indiscutable : comment ressentir, plus intensément qu'en plein galop, l'ivresse de la vitesse, l'infini de la liberté, l'énergie vitale qui vous bat dans les veines et celle qui palpite sous la peau de votre cheval, comme si vous ne faisiez plus qu'un avec lui ? Puissance, autonomie, rapidité, mais aussi élévation. »

Se nourrissant jusqu'à l'indigestion des manuscrits, carnets, dossiers et surtout de la correspondance, il peint à fresque l'étonnant portrait d'un cavalier qui eût voulu être un cheval ; d'un homme qui enfourche sa plume d'oie entre ses doigts comme il enfourche une monture entre ses jambes ; d'un mystique qui écrit pour s'élever ; d'un célibataire qui ne vit au jour le jour que pour la littérature ; d'un géant qui se confond, jusqu'à s'y dissoudre, avec son œuvre et les milliers de notes qui la préfigurent (sept cents pages sur feuilles volantes pour *L'Éducation*). Biasi avait consacré un ouvrage à «La Saga du papier»; cela aurait pu être le sous-titre de son *Flaubert*, livre exalté d'un fou de brouillons sur un fou de littérature qui écrivait, en 1854, à Louise Colet: «Je crois que me voilà renfourché sur mon dada. Fera-t-il encore des faux pas à me casser le nez? A-t-il les reins plus solides? Est-ce pour longtemps? Dieu le veuille! Mais il me semble que je suis remis. J'ai fait cette semaine trois pages et qui, à défaut d'autre mérite, ont au moins de la rapidité. Il faut que ça marche, que ça coure, que ça fulgure, ou que j'en crève; et je n'en crèverai pas.»

Les cavalcades de M. Morand

Il a quatre-vingt-cinq ans et il sanglote. Des yeux brillants du vieillard menu, tendu, tassé, à peine fripé, un peu rond, coule soudain une intarissable fontaine de regrets.

La scène se passe à l'École espagnole de Vienne, le 31 décembre 1972. Paul Morand n'a plus que quatre ans à vivre, mais il ne le sait pas. Il a choisi d'aller applaudir les écuyers autrichiens en culotte de peau blanche et bottes vernies noires à chaudron, de réveillonner avec les jeunes héritiers de La Guérinière qui font danser leurs petits lippizans, une gaule de bouleau fraîchement coupée à la main, sur des airs aériens de Mozart et de Schubert.

L'auteur de *Milady* est bouleversé. La beauté de marbre blanc des chevaux obligeants le saisit ; la délicatesse des jeunes artistes qui les montent, et dont les doigts travaillent la rêne à la manière des flûtistes pressant les trous de leur instrument, le subjugue. Et c'est alors que, au spectacle de la grâce équestre, se mêle, dans la nuit de la Saint-

Sylvestre, le carrousel de ses propres souvenirs. «Touché aux larmes», il succombe et frissonne.

Le matin du 1er janvier 1973, dans son *Journal inutile*, il tente de fixer son impérieuse émotion de la veille : «Je pleure comme un veau, sur ma vie de cavalier défunte ; je retrouve les appuyers, le plaisir de sentir le cheval bien passer sa jambe sur l'autre, se pencher, couler dès qu'on ouvre l'écluse, dès qu'on cesse de le maintenir sous la pression de la botte. Je sens l'amitié profonde de l'homme et du cheval, que j'ai essayé de rendre dans *Milady*. Je me suis endormi, hier soir, brisé par le chagrin, l'amour du cheval (si souvent dans mes rêves), le regret de ma déchéance… »

Une telle mélancolie, une sensibilité si grande, à fleur de peau, à fleur de robe, peuvent surprendre chez cet écrivain lapidaire qui détestait l'épanchement, ne s'abandonnait jamais, chassait le gras des sentiments, à qui la férocité donna souvent du génie et le déclin, de l'aigreur. Mais voilà, dans la longue vie de Paul Morand, il y eut les chevaux, et eux seuls semblent l'avoir rendu plus humain, avoir ouvert sa propre «écluse». Eux seuls l'ont fait moins arrogant, plus humble. Eux seuls ont grandi ce petit homme sec. Eux seuls ont rendu sa main douce et ferme à la fois. Eux seuls ont ajouté de la gaieté à son pessimisme, du miel à son fiel. Et à eux seuls, cet infidèle a été fidèle.

Il suffit, pour en juger, de relire le volumineux *Journal inutile* qu'il a tenu à la toute fin de sa vie, de 1968 à 1976, et ne voulait voir paraître que posthume, en l'an 2000. Avec une méthodique obstination, Paul Morand fait ici mentir Albert Camus, pour qui «vieillir, c'est passer de la passion à la compassion». Lorsqu'il commence à tenir ce *Journal*, il a quatre-vingts ans. Il vient d'être élu à l'Académie française, après dix années de tentatives vaines, chaque fois contrariées par ses deux plus grands ennemis que sont le général de Gaulle, protecteur de la compagnie, et François Mauriac, qu'il décrit «embaumé dans sa bile comme un pharaon dans le bitume».

Mais l'époque est à la prescription et à l'indulgence. Voici donc l'ancien ambassadeur du maréchal Pétain à Bucarest et à Berne réhabilité, couvert d'honneurs, de lecteurs et d'admirateurs. De droite comme de gauche, la jeunesse lettrée voue un culte sans bornes à l'auteur de *Fermé la nuit*, dont elle a raison de goûter le style coruscant, les métaphores surprenantes, les inoubliables portraits de villes et le cosmopolitisme chic. Venus de tous les horizons littéraires et politiques, Claude Roy, Daniel Boulanger, Marcel Schneider, Jacques Laurent, Jean-Louis Bory, François-Régis Bastide, Matthieu Galey, François Nourissier (autre écrivain-cavalier qui poussera l'amour de *Milady* jusqu'à en donner une suite, ou plutôt une variation avec *En avant, calme et droit*), Guy Dumur, Maurice Rheims, Jean d'Ormesson, François-Marie Banier se bousculent autour de la table du maître. Lequel a une conviction chevillée au cœur : «Si les lumières qui brillaient sur notre continent se sont définitivement éteintes, la faute en incombe à Hitler, mais c'est l'Europe elle-même qui l'aida à conquérir le pouvoir. » Hussards et grognards viennent écouter l'académicien se plaindre du naufrage de la civilisation occidentale et sacrifier, en buvant du champagne, à l'aristocratique nostalgie de *L'Europe galante*. Consulat de la désillusion, ambassade de la rhétorique, dépendance de l'ancien temps et bureau des causes perdues, le vaste appartement parisien de l'avenue Charles-Floquet ne désemplit pas.

Paul Morand ne fait d'ailleurs qu'y passer. Toujours au volant de sa voiture — « Besoin de rouler » —, l'écrivain paysagiste partage sa retraite vagabonde entre son château de Vevey, en Suisse, sa campagne des Hayes, dans les Yvelines, en bordure de la forêt de Rambouillet, et son salon du Champ-de-Mars, long de dix-huit mètres. Il convient d'ajouter, pour prendre la température du monde, des voyages express à New York, en Italie, en Grèce, en Espagne, au Maroc, et d'homériques pêches au saumon en Irlande. Il prétend aimer moins les voyages que le mouvement. C'est un lutin chenu et pressé, qui se fuit et court sans cesse après sa jeunesse perdue.

S'il vient de prendre la décision de ne plus monter à cheval, le « jumeau » de la tour Eiffel entretient encore ses rêves et ses muscles dans la salle de sports de l'Automobile Club, dont il est « le doyen des faiseurs d'exercice », et où il s'adonne, en sueur, à la culbute, aux haltères, au punching-ball, à la massue. Il repousse par tous les moyens, de toutes ses forces, le spectre de la mort. Il se vante d'avoir des chevilles et un cœur d'airain, des dents dures, des yeux parfaits, des cheveux et surtout une virilité intacte.

Il pense en effet que, passé les quatre-vingts ans, seule la faculté à «baiser» prouve que l'on n'est pas cacochyme. Tandis que sa femme, la terrible et antisémite princesse grecque Hélène Soutzo, devient grabataire et aveugle, il n'en finit pas, dans son *Journal*, de consigner ses prouesses d'alcôve avec une ahurissante vulgarité et des fanfaronnades de soudard. 1968 : «Quand je baise une dame, j'ai encore du sperme facile, abondant, avec spermatozoïdes ; érections immédiates.» 1970 : «Bien baisé X., avec semence abondante, jet fort. Aucune fatigue.» En 1973, alors âgé de quatre-vingt-quatre ans, il renonce soudain à l'amour physique : «Ce n'est pas que je n'en aie plus envie, je bande en quelques secondes, j'éjacule normalement, mais je crains une rupture d'anévrisme.» Le culte que l'académicien priapique voue à son phallus n'a d'égal que le mépris dans lequel il tient toutes celles qu'il «enfile très profond» et dont il répète qu'elles sont «un délice pendant la nuit et une catastrophe, le jour». On voit par là que les femmes furent un peu mieux couchées et traitées dans ses nouvelles que dans sa vie.

À chaque page, Paul Morand saccage ainsi sa légende de cavalier en jodhpurs rehaussé par le faux col et le nœud papillon. Il tyrannise l'élégance dont on créditait l'étincelant biographe de *Fouquet ou Le Soleil offusqué* et dont François Nourissier écrivait : « Ni à la mode ni démodé, il est notre seul classique moderne. » Il déchire l'image cosmopolite de l'écrivain raffiné qui rédigea directement en anglais, pour *East India and Company*, l'histoire du cheval de Gengis Khan. À la misogynie, il ajoute l'homophobie (« Les pédérastes ne mûrissent jamais ; ils poussent puis pourrissent »), le racisme, le franquisme, l'antisémitisme (il se plaint que les magasins juifs de la rue de Rivoli aient « envahi le trottoir », fait le méchant compte des juifs qui entrent à l'Académie grâce à « la droite philosémite » et poursuit l'idée paranoïaque d'un complot judéo-socialo-homo-gaulliste qui menacerait la France), et, péchés véniels au regard des précédents, le cynisme et la vanité.

Paul Morand, à qui son père, conservateur du Dépôt des marbres et dramaturge de Sarah Bernhardt, disait, quand il était enfant : « Tu es laid, bête et méchant », sait très bien ce qu'il écrit. Il sait aussi que la vieillesse le rend chaque année plus acrimonieux. Comme inquiet de ses propres aveux, il préfère d'ailleurs ne pas relire une seule ligne des trente-deux cahiers manuscrits qu'il a noircis. Il a parfaitement conscience que ce *Journal inutile* « desservira [sa] mémoire » et accablera tous ceux qui veulent croire que le style, c'est l'homme. Et Dieu que le sien était beau, tout en caracoles, raccourcis fulgurants, litotes coupantes, éclairs foudroyants, phrases promptes, ellipses magistrales, images flash, instantanés surréalistes — «C'est lui le premier qui a écrit en jazz», disait Céline; avec «un œil de rapace», ajoutait Chardonne. Car Morand, ce baroque moderne, ce romancier de l'instant, était une crapule très douée que le bonheur désobligeait mais que la grammaire avantageait.

Or, si le piéton était hautain et sûr de lui, le cavalier était un autre homme, que la passion semblait métamorphoser. Contraint, en selle, d'abdiquer ses défenses et ses prétentions naturelles, il travaillait en effet à s'améliorer. Dans ce *Journal inutile*, plein de piaffers divins et de «chevaux qui fument de la croupe», il écrit: «Je n'ai jamais été qu'un bon cavalier, jamais un écuyer. Mes qualités: le talon toujours très bas, chevilles et bas de la jambe en acier, coudes toujours au corps, les pouces bien en dessus, le siège adhérent, les genoux bien verrouillés. Mais tête trop grosse, buste trop long, main pas très fine, nuque trop raide.» Et aussi: «Napoléon, mauvais cavalier: trop grosse tête, buste trop long, cuisses trop courtes, comme moi. Je m'en suis tiré par une extrême souplesse du cou-de-pied. J'ai les chevilles en acier.»

Lui qui était toujours enclin à railler les écrivains, détester les politiques, vitupérer les journalistes, et se moquer de ses propres amis après qu'ils eurent tourné le dos, était fou d'admiration pour ceux qui montaient bien et juste. Pas seulement à Saumur ou à Vienne, ces temples du bel art et de la tradition. Au cirque, aussi. Il ne manquait jamais, par exemple, une occasion de se rendre sous le chapiteau des Knie. Le 19 octobre 1970, il note : « Un des fils Knie, haute école à cru, sans rênes ni éperons ; le cheval exécute les figures rien que par le déplacement d'assiette de l'écuyer qui pèse d'un côté, ce qui libère, du même coup, en sens inverse, l'épaule et la croupe qui, allégées, sont disponibles pour les changements de pied, le pas espagnol, le piaffer, etc. »

L'année suivante, visitant l'immeuble de la rue Marbeuf où il est né, l'auteur de *Parfaite de Subligny* et du *Flagellant de Séville* regrette que les écuries du Club des Biberons aient été remplacées par un cinéma et un garage. Il a les mots pour le dire : « Le crottin et l'huile d'onguent de sabot sentaient bon ; ce sont, aujourd'hui, odeurs de milliardaire, comme la citronnelle qui servait à désinfecter les caniveaux, comme le parfum de la paille fraîche des litières, bordées de tresses aux couleurs de l'écurie si semblables aux nattes des filles blondes 1956. L'allée centrale de l'écurie était sablée à trois couleurs, grès blanc, brique pilée et poudre de charbon. On promenait dans un passage qui débouchait rue Marignan des ale-zans au cou de cygne caressant du chanfrein le coude de leur palefrenier. » Où qu'il se trouve, il est ainsi rattrapé par la nostalgie des chevaux de son enfance, de ses cavalcades d'antan, de ses galops dans les plaines du Guadalquivir, de ses trots enlevés dans les pinèdes du sud de Lisbonne, de ses traversées du monde sur des montures rondes et luisantes. Car s'il a beaucoup monté, il a aussi beaucoup rêvé qu'il montait.

L'amour du cheval est chez lui si puissant, si exigeant, que, de son œuvre volumineuse — où l'on trouve soixante volumes de romans, de nouvelles, de pièces de théâtre, de poèmes, de récits de voyages, de portraits de villes, de biographies et d'essais —, il ne prétend parfois sauver que cette ode, devenue légendaire, à la jument du commandant Gardefort : « À part *Milady*, ce que j'écris est médiocre. »

Cette longue nouvelle d'une centaine de pages, Paul Morand l'a écrite pendant l'été de 1935, entre Saumur et Villefranche-sur-Mer. À quarante-sept ans, il y fait le portrait d'un homme qui lui ressemble : orgueilleux, raffiné, réactionnaire, égoïste, déçu par la société des hommes, pratiquant avec la même abnégation le culte de l'honneur et l'amour du risque, habité par une ferveur équestre qui s'apparente parfois, si l'on se tourne vers le ciel des manèges, à de la mystique.

Gardefort, dans sa tenue « boutonnée haut comme une soutane », est un écuyer du Cadre noir obligé, pour régler des dettes, de se séparer de la jument alezane, chatouilleuse, ramingue, et tachée de blanc à trois pieds, qu'il adore et jalouse comme une femme. L'acheteur, un banquier belge, est impuissant à tenir Milady. De la gracieuse, l'incompétent va vite faire en effet un canasson bouffi et terne. Gardefort se propose alors de lui montrer comment la monter. Il s'engage sur la plate-forme du long viaduc qui alimente Namur, la fait marcher droit au-dessus du précipice, et soudain se jette dans le vide en compagnie de celle qu'il a tant aimée. Il se donne la mort avec sa seule raison de vivre. *Milady* est une grande histoire d'amour qui finit mal.

Une histoire d'autant plus belle qu'elle évite toujours le sentimental. Morand, dont Marcel Schneider écrivait qu'il aimait plus les chevaux que les hommes, se garde bien de tout romantisme. Il se méfie du lyrisme compassionnel. Sa prose est dépouillée, austère, presque religieuse. C'est un écrivain du Grand Siècle qui s'est trompé d'époque. Le grand avantage de la langue équestre, dont il connaît toutes les nuances, est qu'elle l'éloigne de son temps pour le rapprocher du manège, des écuries et de la musique de Versailles. L'auteur de *Milady* est le premier cavalier amateur à savoir traduire l'intraduisible splendeur de la haute école, à donner à voir le dansant changement de pied au temps, à pouvoir décrire l'exacte position de l'écuyer lors d'un carrousel. C'est un formidable architecte de l'invisible.

Écoutez plutôt : « Autant la main demeurait légère, attentive aux moindres mots d'une conversation secrète entre supérieur et inférieur, autant ces jambes d'hommes assis droit se fixaient en un implacable étau ; par elles, le cheval semblait pris comme un fleuve impétueux entre ses quais de granit ; leur fixité était telle que l'animal apparaissait dompté, tordu, plié en arc ; il ne restait plus d'autre issue à ses forces qu'une active désobéissance. »

Dans *Milady*, ce texte ramassé, rassemblé ainsi qu'un cheval au sommet de son travail, où la grande Colette découvrit avec enthousiasme « la télépathie de l'homme et de l'animal », et que le colonel Margot, aussi grand cavalier que bel aquarelliste, illustra pendant sa captivité en Allemagne, Paul Morand a tout mis : son art, son érudition, son amour du cheval, son admiration pour les grands écuyers, son aspiration secrète à se surpasser, et son désir d'appartenir au cercle très fermé des « apôtres du vrai équestre ». Dès son plus jeune âge, il avait travaillé à mériter ce titre. Élève d'Armand Charpentier, il avait fait ses classes au manège Pellier de la rue Chalgrin, à Paris, et n'avait cessé ensuite de fréquenter, de Passy à Villeneuve, à la pointe du Léman, les meilleurs clubs hippiques. Il aimait aussi se rendre sur les terrains de concours, afin d'admirer les sauteurs qui, tel le vieux et si jeune Caïd, cheval marocain portraituré dans *Le Prisonnier de Cintra*, « vole sur l'obstacle, ne renverse jamais rien, polit le haut du mur et s'enlève tout seul ».

Mais son bonheur, il le trouvait surtout dans les extérieurs. Il partait des journées entières dans la forêt française, que ce grand voyageur tenait pour « la plus apprivoisée, la plus accueillante » de toutes. Il aimait aussi, une bombe de velours bleu nuit sur la tête, aller bouter le renard en Angleterre et louer dans une auberge un cheval «dressé à ce sport si particulier, non seulement aux sauts à tombeau ouvert popularisés par les gravures anglaises, mais aux sauts sans élan, ou à partir du trot, aux galops sur macadam, à l'utilisation spontanée de tous les terrains, aux *manners*, c'est-à-dire à la bonne tenue vis-à-vis de la meute et des autres montures» (*Le Nouveau Londres*). Il trouvait admirables ces chevaux de plein air qui se débrouillaient seuls, et que leurs cavaliers montaient les rênes longues, sans jamais leur tirer sur la bouche, afin de leur laisser l'initiative enfantine de franchir une haie d'épines ou un fossé invisible. Toujours, il voulait de la vitesse, et de l'ivresse. «Les chevaux, confiait-il à Denise Bourdet, je les monte au galop, au trot, jamais au pas. Je les ramène tout mouillés.» Et combien de fois n'a-t-il pas reproché à l'éthéré, au si précieux Marcel Schneider de préférer *Le Lac des cygnes* au manège des écuyers, le plaignant de ne pas «connaître l'odeur des chevaux quand ils ont galopé» comme on plaint un homme de ne pas connaître l'amour physique, sauvage, puissant, la grande débauche des sens.

Les maladies des cavaliers, de l'arthrose aux hernies discales, eurent finalement raison de sa passion. La mort dans l'âme, Paul Morand renonça à monter à l'approche de son quatre-vingtième anniversaire. Sa tristesse de devoir remiser ses bottes fut augmentée par le regret, exprimé dans ses entretiens avec Jean José Marchand, de n'avoir été, somme toute, « qu'un cavalier ordinaire » : « Je n'ai jamais su dresser un cheval, je n'ai jamais été un écuyer, mais enfin, j'ai tellement admiré les autres... Du moins, dans *L'Anthologie équestre*, ai-je essayé de réunir tout ce que les hommes avaient écrit de bien sur le cheval depuis Xénophon jusqu'à aujourd'hui. »

C'était en 1966. Il avait soixante-dix-huit ans et l'envie de rassembler, dans un beau et grand livre relié, tout ce que, au fil de sa vie, la fréquentation des chevaux, la compagnie des écuyers et la lecture des maîtres lui avaient appris. Illustré de gravures anciennes, de planches et de photographies en noir et blanc, agrémenté de lettrines et de culs-de-lampe, l'ouvrage parut à l'ancienne, avec un tirage de tête numéroté, « chez Olivier Perrin, Faubourg Saint-Germain ». Même s'il était signé d'un écrivain célèbre et populaire, il n'eut de succès qu'auprès des rares amoureux de l'art équestre. Cette somme d'érudition faisait peur, en effet, aux néophytes. Et puis, c'était un temps où, en France du moins, l'équitation ne s'était pas encore démocratisée, où elle restait un privilège. Jamais, depuis cette date, et malgré les innombrables hommages rendus à l'écrivain Paul Morand, cette passionnante *Anthologie* ne fut rééditée.

La voici enfin, dans son jus, portée par l'ardeur d'un homme vieillissant que des chevaux bien mis réconcilient avec lui-même. L'ancien diplomate égaré par l'idéologie vichyssoise juge sur le tard que l'assiette du cavalier est «l'image même de l'idéal politique, une domination d'autrui qui commence par la maîtrise de soi»; le patriote grandiloquent qui cherche en vain, dans son époque, l'occasion d'assouvir sa nostalgie de la grandeur française trouve dans la belle équitation une raison supérieure de célébrer un art de tradition dont l'École de Versailles a fixé les principes régaliens; enfin, le styliste de *Magie noire*, de *La Folle amoureuse*, de *Venises*, se régale de la prose exacte, rapide, incisive, sans graisse, sans affects, de Pluvinel, La Guérinière, Beudant ou Saint-Phalle. Dans son *Journal inutile*, Paul Morand écrit de Baucher qu'il a eu «le génie de comprendre que le cheval avait le moteur à l'arrière». Le génie de Paul Morand, dans cette *Anthologie*, fut de comprendre que les traités des écuyers n'étaient pas seulement des leçons, c'était *aussi* de la littérature.

La préface est d'ailleurs une ode à François Baucher. (On sent, chez Morand, le regret de ne pas lui avoir consacré, comme à Fouquet, une biographie.) «Avec lui, écrit-il, l'art équestre atteint une telle perfection et par des méthodes si nouvelles, que tout ce qui suivra, jusqu'à nos jours, n'offrira guère que des commentateurs et des glossateurs.» Baucher, grâce à qui la bouche du cheval, «massacrée depuis Pluvinel, était devenue sacrée». Baucher auquel il réserve plus de quarante pages dans cette *Anthologie*, sans compter le très beau portrait qu'en fit le général L'Hotte : « Lorsque sa réputation alla vers son apogée, se maintenant sur les sommets de l'art, il négligea de sa personne l'équitation usuelle et celle en vogue pour s'enfermer dans l'étude silencieuse du manège. »

Pour constituer sa bible, où l'élévation l'emporte sur le ramener, où le rassembler est la loi fondamentale et où le péché est puni par la cravache, l'écrivain a puisé dans sa bibliothèque, dans sa propre hippothèque. Elle est personnelle, incomplète et variée. C'est ce qui fait son charme et sa singularité. Même les oublis sont éloquents (pas de Cervantès, de Hugo, de Maupassant, de Kipling, de Byron, de Tolstoï, de Lawrence, pas de *Trois Mousquetaires* ni de *Hussard sur le toit* pour la littérature ; pas de Kikkuli, de Charles Duplessis, de Diogo de Bragance, ou de Louis Wachter pour l'équitation). Il choisit quelques poètes, de Virgile à Tristan Corbière, des romanciers, tel Eugène Sue, et d'incontournables classiques : Montaigne, donné en vieux français, le célèbre chapitre sur le cheval de *L'Histoire naturelle* de Buffon, ou ce texte étonnant du Prince de Ligne sur l'alimentation des chevaux : « Le seigle échauffe, surtout lorsqu'il est vieux. C'est l'orge qui fait le plus de bien, lorsqu'il est jeune, et la paille est la meilleure de toutes [...] Le cheval doit vivre de broussailles, de pointes des arbres, de mousse et d'herbe de bruyère. »

Il y a des raretés, ainsi ce traité des embouchures de Cesare Fiaschi, paru en 1539 ; cet autre de

Samuel Fouquet, qui date de 1663 ; ces pages sur le rôle de l'encolure du philosophe Gustave Le Bon ; ou encore cette théorie de Pline selon laquelle les Scythes préféraient les juments pour la guerre « parce qu'elles peuvent uriner sans cesser de courir ». Il y a des noms qui sentent les vieux châteaux à tourelles et la chasse à courre, Mottin de La Balme, Drummond de Melfort, Menou de Charnizay, Montfaucon de Rogles ou Farmain de Sainte-Reine. Mais c'est surtout aux grands maîtres que Paul Morand rend hommage : Federico Grisone, Salomon de La Broue, le duc de Newcastle, La Guérinière sur l'épaule en dedans, Dupaty de Clam, le comte d'Aure, Baucher sur le rassembler, Gustav Steinbrecht, James Fillis sur la tenue des rênes, Faverot de Kerbrech, et tant d'autres.

Il est ici question d'obéissance, de châtiments, d'aplomb, de rétivité, de gratitude, d'instruction, de souplesse, de tact, de peur, d'aides, de résistance, de patience, d'équilibre, de légèreté : Morand sait que parler des chevaux, c'est parler des hommes. Que le long récit de leur entente se confond avec la genèse du monde. Et que, même si l'on n'a cessé de vouloir la raisonner, l'expliquer, la codifier, cette entente demeure si mystérieuse qu'aucun grand écuyer n'en a jamais donné la clef. Cette anthologie d'un art est également celle d'une persistante énigme. Il n'y a rien, on le sait bien, de plus inspirant pour un écrivain.

Pour ouvrir le dernier chapitre, consacré à un XXᵉ siècle où l'on croise Federico Caprilli, le général Decarpentry, le chevalier d'Orgeix, et bien sûr le grand Nuno Oliveira, prince portugais du tact et de la légèreté, Paul Morand a choisi... Paul Morand. Preuve qu'il se relisait et ne se détestait point. On lui pardonne volontiers de s'être préféré car il a choisi un des plus beaux extraits de *Milady*, le passage fameux où Gardefort, qui «pétrit» sa jument, donne une leçon de maintien à Luc de Léal, un sous-lieutenant de cuirassiers : «Réfléchis. Équitation et équité, c'est la même chose. Et si tu trouves, tu auras droit à des brides d'or! Ça a commencé comme ça : je suis descendu de trois à deux temps au galop et c'est en travaillant le changement de pied à chaque temps que la difficulté m'est apparue. Je ne t'en dis pas davantage. Maintenant, accorde ton violon et tâche de jouer juste!»

À la fin de sa vie, Paul Morand, ce dandy triste qui avait des airs de bouddha insolent, confiait à Marcel Schneider, lequel hérita de sa garde-robe, de ses bouffantes culottes de cheval, de ses vestes de tweed et de ses redingotes pour aller aux courses d'Ascot : «Je suis tranquille, je n'ai plus faim. J'ai aimé vivre une fois, je n'aimerais pas recommencer.» L'aveu valait pour l'académicien trottinant sur le pont des Arts, mais pas pour le cavalier qui ne cessa, jusqu'à son dernier soupir, de pleurer sa galopante jeunesse, d'espérer chausser à nouveau ses bottes, d'aspirer à remonter, toujours plus haut, afin de pouvoir voler au-dessus des champs, des forêts et de sa vie. L'*Anthologie de la littérature équestre*, ce fut aussi pour lui une manière de ne pas mettre pied à terre, une occasion d'être un meilleur cavalier, de se croire parfois écuyer, et de s'avantager.

Je la lis depuis longtemps. Je m'y reporte souvent. J'en aime la rigueur et les imperfections. Elle réconcilie mes deux passions folles, mes deux religions, la littérature et l'équitation. J'ai toujours rêvé qu'on la rééditât. En vain, jusqu'à aujourd'hui. J'ai pourtant cru, à une époque, que le retour en grâce de l'écrivain Paul Morand, et la multiplication des éloges dont on encombrait sa mémoire favoriseraient la résurrection de cette *Anthologie*. Mais voilà, elle ne sentait pas le soufre, comme le *Journal inutile*, elle n'avait pas le charme intemporel de ses relations de voyages, et elle était trop érudite pour la plupart des lecteurs. On la bouda. On l'ostracisa.

Je me souviens avoir convaincu un éditeur, le légendaire Guy Schoeller, de lui donner une seconde chance. C'était au milieu des années quatre-vingt-dix. Schoeller, qui avait des manières de vieux monarque à la crinière blanche et au nez bourbon, m'avait invité à déjeuner au Ritz, un lieu que je découvrais et dont il me disait, narquois et snob : « C'est ma cantine. » Je connaissais sa double réputation de cavaleur et de cavalier. Amant de Bettina Graziani, premier mari de Françoise Sagan, cet homme morandien couvert de femmes avait en effet autant séduit que monté. Sa discipline préférée avait été le concours complet et son plus grand plaisir, les randonnées équestres en Asie, aux États-Unis et en Amérique latine. Il se flattait d'avoir, jusqu'à un âge avancé, sauté des obstacles de cross dans le petit matin, avant d'aller rejoindre, l'œil vif et le mollet dur, son petit bureau des Éditions Robert Laffont. À table, où il se faisait servir de grands vins («Ils me maintiennent en bonne santé»), je lui avais demandé ce que, à quatre-vingts ans, il regrettait le plus : les femmes ou les chevaux. Il n'avait pas hésité : «Les chevaux!», et les deux mots claquèrent sous les lustres du palace. J'en avais profité pour exprimer, au directeur de *Bouquins*, mon souhait le plus ardent : qu'il publiât l'*Anthologie* de Morand dans sa collection, cette Pléiade souple et à bas prix comptant alors trois cent cinquante volumes, dont de nombreux et précieux dictionnaires. Il l'avait lue. Il trouva l'idée bonne. Il me rappela plusieurs fois pour me dire qu'il y pensait toujours, que les chevaux de Morand galopaient dans sa tête. Et puis il mourut, en 2001, l'esprit et les tiroirs pleins de résolutions en suspens.

L'écrivain Daniel Rondeau lui succéda à la tête de *Bouquins*. Arpenteur de Tanger, de Carthage, d'Istanbul et d'Alexandrie, il était totalement étranger aux chevaux, mais il était fou du globe-trotter Paul Morand. Daniel demanda à me voir. Il voulait exaucer le rêve que Schoeller n'avait pu réaliser. Il découvrit l'*Anthologie* avec émerveillement et la fit calibrer. Seulement voilà, elle ne comptait pas assez de signes pour remplir, à elle seule, un volume de la collection. Daniel Rondeau me proposa de l'inclure dans un ensemble de textes sur le cheval, de mêler l'académicien à d'autres écrivains cavaliers. Je refusai. Morand méritait bien une place à soi.

Vint enfin Jean-Louis Gouraud, dont nul n'ignore qu'il a voué sa vie à la célébration du cheval et à l'exhumation de tous les grands textes qui y contribuent, de Kikkuli au général Durand, de Buffon à Étienne Beudant, de Léon Tolstoï à Pierre Pradier, de Jean-Claude Racinet à Jean d'Orgeix. Je lui racontai mes déconvenues. Le sort s'acharnait sur la bible équestre de Paul Morand. Elle ne reparaîtrait donc jamais. Elle serait à jamais un *introuvable*. On se la repasserait entre initiés. On en recopierait les pages pour les uns, on inviterait les autres à la consulter en bibliothèque. Et on finirait par l'oublier. Mais Jean-Louis déteste les regrets. C'est un idéaliste. Il veut croire que l'avenir se nourrit du passé. Avec Paul Morand, il tient que «l'histoire de l'équitation, c'est, en microcosme, toute l'histoire de l'homme». Il est le contemporain des Grecs, des Romains, de Louis XIV et de Bartabas. Il est le compagnon de tous les «savants bottés». Pour l'amour des chevaux et de ceux qui les aiment, il abattrait des montagnes. Un matin, il m'a téléphoné : «Jérôme, c'est décidé, je republie l'*Anthologie de la littérature équestre*. Écrivez-moi une préface. Prenez la place que vous voudrez. Le cavalier Morand est de retour.»

C'est donc une miraculée. Certains diront

qu'elle est un peu âgée, mais ce sont des idiots. Elle a, pour moi, la jeunesse de la passion, l'allant d'un cheval en promenade, l'allégresse d'un piaffer — c'est une manière de dictionnaire amoureux. Elle a aussi une vertu cachée : on peut la lire comme l'autobiographie rêvée de Paul Morand. Car il rassemble ici les principes de vie, les règles morales, les lois de l'équilibre, les tables de la sagesse qu'il n'a pas toujours su respecter au cours de son existence vibrionnante mais dont il aurait tant aimé être le héraut. C'est le testament d'un chevalier, au seuil duquel il aurait pu placer cette belle maxime glissée dans *Tendres Stocks* : « Abuser des choses est une des conditions pour ensuite s'en rendre maître. »

Les chutes de cheval

Sens (Yonne), juillet 2012

C'était il y a quelques années, mais ça ressemble à une rapine médiévale. Les malandrins sont arrivés par la rivière dans une barque silencieuse, ils ont accosté au pied de l'étroit chemin de halage, ont forcé la vieille grille en fer forgé, et ont pénétré dans la première des trois maisonnettes qui sont accolées les unes aux autres. Dans ce salon de musique sur l'eau, ils ont dérobé deux violons, deux violoncelles et un alto. Ils appartenaient aux tantes de Pascal Quignard, qui donnaient autrefois des leçons de solfège au jeune Julien Gracq, et dont l'une, Marthe, tenait les orgues d'Ancenis. Si l'écrivain de *Tous les matins du monde* regrette de ne plus pouvoir caresser le bois verni de ces instruments précieux, il ne souffre pas d'en être dépossédé. Il n'a plus le goût de thésauriser et n'aime rien tant que s'alléger. Et puis de méchants rhumatismes l'empêchent désormais de jouer du violoncelle. Pour sacrifier au plaisir sacrilège et quotidien d'interpréter des réductions de Bach, des concentrés de Haydn, des compressions de Porpora, mélodies débarrassées de leurs ornements inutiles pour n'en garder que des préférences, du moins lui reste-t-il deux pianos droits : « Je m'offre, à moi seul, des concerts fabuleux. Dommage que mes chats, comme Flaubert et Freud, détestent la musique et en particulier le piano… »

Il fait beau à Sens, en cet été 2012, l'air sent la vase tiède et l'herbe coupée. On est assis dans un jardinet oblong, où fleurissent des rosiers roses et des hortensias blancs, au bout duquel coule un bras mort de l'Yonne sur lequel ne glissent que des pagayeurs en kayaks et, parfois, des escrocs en canots. Des trois maisons basses qui encadrent la pelouse, Pascal Quignard, tout de noir vêtu, dit que c'est son « petit Port-Royal-des-Granges ». C'est là que, en 1994, lorsqu'il démissionna de ses fonctions aux Éditions Gallimard, au Centre de musique baroque de Versailles et au Concert des Nations, pour se consacrer à la littérature, à l'étude, à l'érudition, l'écrivain janséniste est venu se réfugier : « Ici, je me suis senti protégé. J'étais à la fois au cœur d'une ville de province et hors d'atteinte. J'aime habiter sous un pont, qui s'appelle le pont du Diable, et dans la seule compagnie des chauves-souris. »

C'est là aussi que, après avoir frôlé la mort en 1996, il s'est mis en convalescence. Victime d'une hémorragie pulmonaire cataclysmique, il fut hospitalisé, vomissant son sang, à Saint-Antoine.

« Contrairement à ce que l'on pourrait croire, ce fut une expérience extraordinairement agréable et pas du tout douloureuse. Après avoir jeté l'éponge, j'ai eu le sentiment de partir en douceur, dans un épuisement d'autant plus consenti que j'avais renoncé à tout depuis deux ans. C'est là que j'ai eu l'idée d'écrire, dans la hâte, un livre ultime, ma *Vita Nova* à moi, que j'ai commencé à rédiger sur mon lit d'hôpital. Le personnage central était M., Martine Saada, la femme que j'aime et à qui je dédiais ce que j'avais vécu. Je voulais, dans un même livre, emprunter à toutes les formes : contes, traités, portraits, lectures, souvenirs, et tous les genres, de la philosophie à l'étymologie, de l'histoire à la musique, afin d'être le plus honnête possible. Ce fut le début du *Dernier royaume*. Et puis, je me suis retrouvé à Sens, avec l'étrange sensation d'être un miraculé. Puisque je n'étais pas mort, je me suis alors promis de mourir un jour dans ce *Dernier royaume*, dont l'enchevêtrement des chapitres m'évoque d'ailleurs celui des maisonnettes que Martine et moi avons réunies ici, avec, au bout du jardin, le rivage de la mort. »

Depuis, les années ont passé et la superficie du *Dernier royaume*, qui ajouterait la monarchie japonaise à l'Empire romain et compte plus de deux mille quatre cents pages, n'a cessé de s'étendre. Le tome 7, intitulé *Les Désarçonnés*[1], est sans doute le plus beau, le plus intime, le plus violent,

---

1. *Les Désarçonnés, Dernier royaume*, tome VII, Grasset, 2012.

le plus sauvage, aussi. Il y est question de guerres, de tueries, de déportations. Les vautours le disputent aux corbeaux dans des ciels noirs. Et puis, il y a les chevaux…

Un vieux principe d'équitation commande, malgré la douleur et la peur, de remonter aussitôt après avoir été désarçonné, seule manière de vaincre ses appréhensions, de ne pas être traumatisé par l'accident. Si je rappelle cette loi, c'est que Pascal Quignard a choisi de filer l'éloquente métaphore de la chute de cheval. Il fait ici le portrait de groupe des hommes qui tombent au galop de leur vie. Il rappelle que la chute de cheval est l'occasion d'une renaissance, et que saint Paul, Abélard, Montaigne ou Agrippa d'Aubigné se sont mis à écrire après avoir été désarçonnés. Il tient qu'on ne se grandit pas si l'on n'a pas roulé dans la poussière et que, pour renaître, il faut d'abord avoir failli mourir.

L'auteur du *Nom sur le bout de la langue* sait de quoi il parle. Il a été un enfant mutique, anorexique, à la lisière de l'autisme. Il refusait de parler, d'obéir et de manger, à moins que ce fût dans l'obscurité. Simplement, il voulait mourir. « Quand on ne vous aime pas, dit-il en baissant la voix, on disparaît. Lorsqu'on vient au monde avec le sentiment qu'on n'est rien et que le contenant ne veut pas du contenu, on s'efface. Même tout petit, on a pleinement conscience de n'être pas désiré. C'est pareil chez les animaux. À deux ans, j'ai fait ma première dépression nerveuse. »

Six autres ont suivi, jusqu'à un âge avancé. Une dépression nerveuse doit, selon lui, remplir deux critères : durer plus de six mois et rendre inapte à la lecture. L'avantage d'en avoir été plusieurs fois victime, c'est qu'il en connaît très bien le fonctionnement : «Dès que je sens qu'elle point, soit je fonce vers elle à la manière du taureau, soit je fuis comme un cheval emballé. Mais le temps est fini où elle me paralysait. D'avoir quitté, il y a vingt-cinq ans, le circuit social où tant de mes amis continuent d'accepter d'être domestiqués, de subir ce que La Boétie appelle "la servitude volontaire" et de ployer sous les honneurs comme des bambous sous le poids de la neige, me rend beaucoup plus apte à l'affronter. Car rien d'extérieur ne pèse sur mes épaules.» S'il reconnaît que rien n'effacera jamais sa détresse originaire, il juge qu'avec l'âge et après une longue psychanalyse il a cessé d'être «un occidental plein de moi je» pour faire sienne la sagesse orientale : «Je cultive le vide, je ne suis jamais plus heureux qu'en étant absorbé par un paysage, bouleversé par une tête de cheval ou de chat, qu'en cessant d'être moi.» Deux seuls regrets, qu'il appelle des «culpabilités», ombrent son bonheur taoïste : n'avoir pas été pleinement musicien, avoir rompu avec la longue lignée des Quignard organistes, une cinquantaine depuis le XVIIIe siècle ; et n'avoir pas su écouter son maître Emmanuel Levinas, qui l'enjoignait d'enseigner la philosophie — «j'ai été égoïste, j'ai préféré l'étude à la transmission, et je m'en veux encore.»

Au loin, la cathédrale de Sens sonne l'heure. Elle est gothique comme Pascal Quignard est protohistorique. Car l'époque moderne l'indiffère. Cet écrivain de jadis n'a pas Internet et a sectionné, chez lui, les fils électriques des sonnettes. Il a renoncé en même temps aux grandeurs d'établissement, aux jugements d'autrui et à son siècle. Il a fermé sa porte et ouvert une bouteille de vin. Il dit qu'il s'est fait chat, avec des yeux bleu ciel. Sa devise : *otium et libertas*. Plus que jamais, il invoque son oncle maternel, le grammairien et flaubertien Jean Bruneau, aujourd'hui disparu, qui l'encouragea à manger quand il ne voulait pas manger, lui apprit à lire, lui conseilla de fuir les puissants et lui légua son secret : « Seule la solitude est référente. » Bruneau était un rescapé de Dachau. Son neveu est habité par ces hommes qui sont sortis vivants de l'enfer. Depuis quelques années, il présente des spectacles avec Carlotta Ikeda, une danseuse de butô, cette chorégraphie née des traumatismes de la Seconde Guerre mondiale, de l'horreur d'Hiroshima : « Le corps nu sorti du sol, la tête couverte de cendres, il s'agit de renaître dans la nuit, c'est vraiment le thème des *Désarçonnés*. » Carlotta Ikeda et Pascal Quignard sont allés à Tokyo après le séisme de Fukushima pour jouer leur version de *Médée*. L'année prochaine, ils iront au Havre, cette ville rasée où, de 1950 à 1958, l'écrivain a grandi et fait ses études jusqu'à la sixième dans des baraquements de fortune, car le lycée avait été détruit. « Le Havre où j'ai été élevé par une jeune Allemande qui venait d'une autre ville éradiquée, Cologne. Il sera temps pour moi de boucler alors la boucle de mes ruines.»

Le plaisir de Sens : lorsque le soleil se couche, Pascal Quignard promène sa maigre silhouette d'encyclopédiste le long du chemin de halage herbu. Jusqu'au XIXe siècle, les chevaux lourds, attelés par des cordes, y tiraient en ahanant des péniches de quatre-vingts tonnes. Ce quadrupède, qu'il n'a jamais monté, ô grand jamais, l'inquiète et le fascine. Il en parle comme, dans *Les Métamorphoses* (son œuvre littéraire préférée), Ovide du cheval ailé, de Pégase. C'est le seul animal, écrit-il, que l'homme ait toujours estimé plus beau que soi. Il lui trouve parfois «un visage d'une tristesse qui ne s'exprime pas» et, quand il dresse les oreilles, réhabiliterait volontiers le vieux verbe «chauvir». Il comprend très bien que, après avoir embrassé à Turin un cheval de fiacre «humilié», Nietzsche eut sombré dans la folie. Encore un désarçonné. C'est fou ce que Pascal Quignard les connaît bien, les comprend bien, ces calmes blocs chus d'un désastre obscur. Et que la jument de George Sand ait porté le nom d'un autre de ses écrivains de chevet : Colette, fait son bonheur. C'est d'ailleurs Colette qui, un jour où George Sand était attirée par le vertige de la mort, l'a sauvée de la noyade en la poussant avec ses naseaux vers la rive. Ensuite, à Nohant, où passaient trop de gens dans trop de bruit, la romancière prit l'habitude de se retirer dans un coin secret de la maison qu'elle appelait « l'absence ». C'était un lieu où elle délaissait le groupe, où elle était en même temps morte au monde et plus vivante que jamais. Sens est l'absence de Pascal Quignard.

La campagne de Russie

« Monsieur Gouraud, vous êtes un vrai homme. » Dans la bouche de Boris Eltsine, qui vient de broyer la main du récipiendaire, l'exclamation a valeur d'éloge suprême — comme on dit Soviet suprême. La scène se passe à Moscou, sous les lambris de l'ambassade de France, où est célébrée, le 14 juillet 1990, la Fête nationale. Quelques jours plus tard, au Complexe équestre de Bitsa, Raïssa Gorbatcheva s'adresse au même Gouraud en caressant le chanfrein de ses deux chevaux : « Ce sont des héros. »

Un vrai homme + deux héros = une légende. Elle méritait bien un livre. Le voici. *Le Pérégrin émerveillé*[1] tient du récit de voyage, du manuel de randonnée, de la carte IGN, du roman d'aventures, du traité de géopolitique, du carnet vétérinaire, et de l'ode lyrique à la Sainte Russie — son âme, son peuple, sa littérature, son art, mais aussi sa cavalerie. On y croise Napoléon et Sylvain

1. Actes Sud, 2012.

114

Tesson, Tolstoï et Bartabas, Raspoutine et Chérif Khaznadar. On en sort fourbu et passionné. Cet énorme livre, où les notes en bas de page ajoutent aux annexes d'innombrables digressions, Jean-Louis Gouraud a mis soixante-quinze jours à l'écrire. Un pari fou pour raconter un défi fou.

Il lui a fallu en effet soixante-quinze jours pour parcourir 3 333 kilomètres à cheval. Parti le 1er mai 1990 de sa ferme du Loiret, il est arrivé le 14 juillet sur la place du Kremlin. Il avait alors quarante-sept ans, des fourmis dans les jambes, un grain dans la tête et deux alliés substantiels : Prince-de-la-Meuse et Robin, trotteurs français au cœur grand comme ça, respectivement âgés de neuf et sept ans, sur le dos desquels il pratiqua une équitation équitable, dite à la turkmène. Le principe en est simple : le cavalier monte les chevaux en paire et en alternance. Celui qui n'est pas monté est soulagé de sa selle et tenu en main. L'un fournit l'effort, l'autre se repose. Le seul qui travaille tout le temps, c'est le cavalier.

Du Loiret, l'étonnant trio à dix jambes trotta jusqu'à l'Yonne, puis à l'Aube, pénétra en Allemagne, gagna la Pologne, et entra enfin en Russie. Il traversa des forêts et des plaines, des hameaux et des villes, emprunta des sentiers buissonniers et des routes, trouva en chemin d'épisodiques accompagnateurs bottés, fit des pauses dans des clubs hippiques, dormit chez l'habitant, résista à la pluie, à la canicule, aux ampoules (pour Gouraud), aux coliques (pour ses trotteurs), et triompha à Moscou, où il fut acclamé par la foule réunie à l'hippodrome. Morale : le trotteur est très résistant et le Gouraud, intrépide.

Mais ce périple anachronique, qui évoque les pèlerinages de la chevalerie, les cavalcades de Montaigne et la geste cosaque, n'eût été qu'un exploit sportif n'était l'époque troublée, et même hébétée, à laquelle l'auteur de *Serko* eut la bonne idée de l'entreprendre. Car, au printemps de 1990, le mur de Berlin venait de tomber, la hache de la guerre froide d'être enterrée, le pacte de Varsovie d'agoniser et Gorbatchev d'accomplir sa perestroïka. C'est à ce moment précis que notre cow-boy solitaire de l'Ouest décida de partir pour l'Est, prouvant par là que l'ancestral cheval est l'instrument moderne de la concorde et de la réunification.

Hussard sur le toit de l'Europe, il passa des douanes obsolètes, des frontières mouvantes, un rideau de fer devenu rideau de terre, quitta une RFA triomphante pour une RDA fantôme, enjamba la Pologne de Wałęsa, débarqua dans une Biélorussie qui s'apprêtait à l'indépendance, découvrit en plongée un bloc soviétique en train de se fissurer — « la Haute-Volta avec des fusées » —, fut le témoin direct d'un monde qui basculait, rencontra des populations qui avaient gardé les réflexes de l'ancien temps et voyaient venir le nouveau avec un soulagement mâtiné d'inquiétude. En somme, Gouraud trottait dans une Histoire en marche et galopait moins d'un pays l'autre que d'un siècle l'autre. Incroyable travelling technique et idéologique. Depuis, l'écrivain a refait son voyage en voiture pour mettre en regard son carnet de route de 1990 et ses impressions des années 2000. Le document est précieux.

Pour la petite histoire, Jean-Louis Gouraud s'était engagé à offrir ses deux «trotteux» à Gorbatchev, en guise de gratitude. Il tint sa promesse, le cœur brisé. Mais il ne supporta pas d'être séparé de ses loyaux compagnons d'armes et d'aventures. Une nuit de 1992, lors d'une opération commando à la John Le Carré, il les déroba dans le haras russe qui les avait adoptés et les exfiltra en France, où ils sont morts près de lui. Ce livre est donc le mausolée de Prince-de-la-Meuse et de Robin, mais aussi le tombeau du cavalier Gouraud. Car il ne peut plus monter, son dos est en capilotade. N'empêche, le «pérégrin émerveillé» continue, à pied, de sillonner le monde pour exalter sa shakespearienne hippomanie. Son royaume pour un cheval.

Grand dieu !

D'un cavalier allemand qui exécutait à la perfection une reprise de Grand Prix en tenant, dans la
seule main gauche, des rênes demi-tendues, il écrit :
« Aucune faute d'orthographe ne venait entacher
une sobre élégance bien proche de la poésie. » D'un
délicat pur-sang, prénommé Des Baisers, qu'on
lui avait confié, il note : « Magnifique mais fin rétif,
ce gris pommelé aussi harmonieux que bien né, ne
se livrait jamais généreusement. » Ou encore, d'un
charolais de six ans : « Bien suivi dans ses lignes, il
portait, au bout d'une encolure greffée un peu haut,
une tête expressive au chanfrein camus. » On voit
par là que le général Pierre Durand est un militaire
de carrière que le cheval a non seulement assoupli
mais aussi converti à la littérature.

L'écuyer René Bacharach en piquait pour
Mallarmé ; Pierre Durand préfère La Varende et
Paul Morand. Il connaît *Milady* par cœur et contri-
bua même, par ses conseils, à l'adaptation cinéma-
tographique, par François Leterrier, de la nouvelle-
culte de l'écrivain pressé. Lors du tournage, à

Saumur, en 1975, où il s'improvisa conseiller, il ajouta au scénario et mit dans la bouche de Jacques Dufilho, qui incarnait le commandant Gardefort, cette phrase décisive : « Monter, c'est mettre un cheval en équilibre et l'y maintenir sans effet de force. » Elle résume avec simplicité toute sa philosophie.

En ce temps-là, Saumur était dans Saumur (l'École nationale d'Équitation est située désormais sur les hauteurs de Terrefort), et Pierre Durand, né en 1931, était l'écuyer en chef du légendaire Cadre noir. Il avait le privilège exclusif de s'asseoir dans une selle de velours amarante (aux simples écuyers, le daim blanc) et celui, presque religieux, d'être appelé « le grand dieu ». Pour cet ancien saint-cyrien, spahi à cheval, champion de concours complet et de saut d'obstacles, deux fois sélectionné aux Jeux olympiques, le Cadre noir, dont il conduisait d'une main cardinalice la grand-messe du carrousel, figurait une manière de septième ciel.

Depuis Étienne Beudant, le génial théoricien de *Extérieur et haute école,* nul mieux que le général Durand n'a démontré combien, en équitation, l'art est l'allié du sport, la légèreté l'instrument de la puissance et le plat, l'antichambre des plus gros oxers. « Je crois profondément, écrit-il, qu'il n'y a aucune antinomie entre le saut d'obstacles et l'équitation d'école, et qu'un cheval musclé pour celle-ci augmente son aptitude à celui-là. »

À soixante-dix-huit ans, alors que, chaque jour, il continue de monter dans sa propriété sise aux

119

portes de Saumur, de relire Xénophon et de revoir en boucle, à la télévision, *Les Grandes Manœuvres*, avec Michèle Morgan et Gérard Philipe, le général Durand a accepté de rassembler, dans un livre d'érudit et de plein air, *L'Équitation française*[1], ses principes, ses réflexions, ses choix de cœur et de raison, les leçons de ses maîtres et une poignée de souvenirs, où il a l'élégance de ne pas se préférer. Les cavaliers y trouveront les lois d'une irréprochable technique, les sportifs les secrets de la prouesse et les néophytes, des images qui font rêver : comment, par exemple, être droit sur un cercle ; pourquoi exercer une autorité douce ; et de quelle manière écouler un siècle en trois heures. De la poésie pure, vous dis-je.

---

1. Actes Sud, 2008.

CHEVAUX SUR CHEVALETS

La Bonheur

Elle s'appelait Bonheur et peignait les seuls chevaux qui en expriment si bien la rondeur, la douceur, l'insouciance, la constance et la force. Ce sont les percherons, tonnes inébranlables de tendresse pelucheuse et d'émouvante loyauté, dont même le travail aux champs, le débardage en forêt, le halage des péniches, la traction des tombereaux, des fardiers, des calèches, des corbillards, des phaétons, des malles-poste, des mareyeuses bretonnes et des omnibus parisiens, ne parvenaient pas, autrefois, à entamer le flegme impérial, l'encombrante félicité et la lenteur philosophique. Serviables, mais jamais pressés, ils étaient, au XIXe siècle, les meilleurs alliés et les plus fidèles amis de l'homme, qui n'était rien sans eux.

Tout au long de sa vie, Rosa Bonheur (1822-1899), qui prêtait «une âme» aux percherons et doutait en secret de celle des maquignons, les a magnifiés, célébrés, exaltés dans des tableaux si puissants, si ronflants, qu'on dirait des sculptures vivantes, prêtes aujourd'hui à sortir du cadre pour narguer le monde tératologique et jaune poussin des Caterpillar. Quand ses contemporains, dont Alfred De Dreux, ne jugeaient dignes d'être portraiturés et encadrés à l'or fin que les empereurs en selle et en grand uniforme, les barons pincés chassant à courre, les élégantes amazones du bois de Boulogne, les attelages du meilleur goût, les pur-sang des courses, les anglo-arabes longilignes, les encolures en col de cygne, les croupes fines, les pieds de danseur-étoile et les robes soyeuses, la bonne dame de By préférait se consacrer aux chevaux de trait, dont la masse de télamon faisait trembler la terre, ainsi qu'aux animaux de la ferme, dont les odeurs importunaient les gandins en escarpins. D'ailleurs, c'est fou ce que ses tableaux sentent. Quoi donc ? Le poil mouillé, la bave des entiers, le fumier chaud, le cuir graissé des harnais, le champ d'automne retourné, le fer rougeoyant et la corne brûlée.

Afin de mieux approcher les percherons dans leur fougueuse jeunesse comme à l'instant de leur mort, Rosa Bonheur, qui ne détestait pas les femmes et commandait à ses amantes, avait obtenu du préfet de police, en 1852, ce qu'on appelait alors une «permission de travestissement». Grâce à ce précieux viatique, elle était autorisée à porter le pantalon pour travailler dans les abattoirs et sur les marchés aux chevaux, où elle se mêlait en connaisseuse aux équarisseurs et aux éleveurs. Elle avait un tel souci de l'anatomie et de la morphologie qu'elle voulait reproduire même ce qu'on ne voit pas au premier coup d'œil : les vertèbres sous le dos, les muscles abdominaux pendant l'effort, l'affrontement des dents, la rage soudain carnivore des entiers à l'instant de la saillie, le désir, la panique, les oreilles aux aguets ou l'esprit de horde. Elle pensait que le percheron, « superbe par la hauteur de son encolure et l'attache de son garrot », était trop parfait pour être réinventé, et qu'il suffisait, pour l'honorer, de lui être fidèle. L'artiste possédait les mêmes qualités que la cavalière : la patience, la détermination, l'esprit de justice et la domination équanime.

Née à Bordeaux, la fille du peintre saint-simonien Raymond Bonheur, qui lui enseigna à domicile le dessin et la liberté, avait connu, petite, l'illusion des privilèges (son grand-père aristocrate régnait sur le château Grimont, à Quinsac) et aussitôt les humiliations de la pauvreté. Elle avait onze ans, en effet, lorsque le corps de sa mère, Sophie Marquis, fut jeté dans la fosse commune du cimetière de Montmartre. De son enfance de garçon manqué dans le bordelais, elle garda jusqu'à ses derniers jours le souvenir odoriférant des bœufs qu'on menait paître et des vaches qui, pendant la traite, lui léchaient le visage. À trente-neuf ans, elle s'installa en bordure de la forêt de Fontainebleau, à Thomery, dans une vaste maison abusivement élevée au rang de château et augmentée d'une manière de zoo où cohabitaient des mouflons, des biches, des poneys shetland, des sangliers, des chiens et même des lions. Chaque jour, elle quittait son atelier dès potron-minet et attelait son tilbury. C'était une meneuse avec une main d'homme. Suivie par ses chiens, elle demandait très vite le galop, s'enfonçait sous les bois dans un fracas de fin du monde, passait les gués à la vitesse d'un cerf pourchassé, frôlait les rochers, montait les côtes sans baisser de rythme, rentrait chez elle le visage noir de boue et, sans se laver, se mettait devant son chevalet pour tenter de fixer sur la toile l'ivresse de la liberté, la fièvre équestre. Lorsqu'elle n'attelait pas, elle montait sa jument grise Margot à califourchon, prenant un malin plaisir à choquer les hommes qui n'admettaient alors de cavalières qu'en tenue et en position d'amazone. À soixante-dix ans passés, elle était encore en selle. Rien, disait-elle, ne l'en aurait fait descendre, sauf la maladie.

Son œuvre est un bestiaire humble, sur lequel plane un grand et immémorial silence agreste. Les titres de ses tableaux, qui remportèrent un grand succès au Salon, résistaient farouchement à l'âge industriel : *Animaux dans un pâturage, Brebis tondue, Bœufs et taureaux de Salers, Le Labourage nivernais : le sombrage, La Fenaison en Auvergne, Moutons au bord de la mer, Grand Griffon vendéen, La Foulaison du blé en Camargue,* et ce fameux *Marché aux chevaux* qui valut à Rosa Bonheur, en 1853, une reconnaissance internationale. La reine

Victoria lui acheta des toiles, l'impératrice Eugénie lui remit la Légion d'honneur, le président Sadi Carnot la décora de la grand-croix et Buffalo Bill, venu pour l'Exposition universelle de Paris, la pria de bien vouloir exécuter son portrait équestre. En échange de quoi, le colonel Cody lui offrit un costume de Sioux, un arc, des flèches, et accepta de dresser les trois mustangs que lui avaient offerts des éleveurs de Chicago, mais dont elle ignorait l'emploi et qui rongeaient leur frein dans ses écuries de Fontainebleau.

Étrange et paradoxal destin que celui de cette femme émancipée qui portait les cheveux courts, fumait des havanes, marchait comme un portefaix et boudait devant les photographes. Elle partagea la vie de Nathalie Micas, et puis celle de l'Américaine Anna Klumpke, mais la société puritaine de l'époque n'eut pourtant de cesse de l'honorer et l'État lui passa commande d'immenses scènes champêtres qui, croyait-il, illustraient son empire. Bien qu'elle fût excentrique, cette artiste n'en finissait pas, dans des tableaux très sages, d'idéaliser la campagne, de glorifier les travaux de la terre et les animaux de la ferme au moment où la locomotive à vapeur, la moissonneuse-batteuse, les hauts-fourneaux transformaient le paysage et menaçaient l'avenir social du percheron. En somme, ses contemporains attendaient d'elle qu'elle peignît au présent un monde déjà révolu.

Rosa Bonheur est morte en laissant, dans son grand atelier de By rempli de bois de cerfs, d'oiseaux empaillés, de selles et de harnais, un tableau inachevé, *Les Chevaux sauvages*, qui galopent en horde dans une lointaine prairie du Nouveau Monde. On peut y voir non seulement un testament, mais aussi une morale.

Le carrousel des peintres

Lorsqu'il a décidé de s'éloigner de ses écuries, en bordure de la forêt de Rambouillet, Jean Rochefort est allé se réfugier derrière le musée d'Orsay. Comme si l'éleveur pressentait que la fréquentation des chevaux peints le dédommagerait du chagrin de ne plus pouvoir monter.

Désormais, le comédien parle à l'oreille des tableaux. Son nouveau grand manège, le Louvre, est de l'autre côté de la Seine, où il va admirer la reprise des maîtres, Géricault, Greuze, Pisanello, Delacroix ou Vinci. Tous ont exalté le cheval, l'ont réinventé, lui ont prêté des positions et des envolées imaginaires, sans trop se soucier d'être fidèles à sa morphologie. Rochefort aime chez les artistes qu'ils sacrifient la précision à l'émotion. Devant la *Tête de cheval blanc*, de Géricault, il se tait, bouleversé : « Comment quitter ce seigneur sans lui faire une révérence ? » Devant une sanguine de Bouchardon représentant une tête bien toilettée, il préconise de la « caresser trois fois par jour en cas de rupture amoureuse entraînant un état dépressif». Et devant un croquis de Chassériau, l'acteur se fait moraliste : «Une jument bicéphale engendre souvent des poulains au strabisme convergent.»

Il a suffi que l'historien d'art Edwart Vignot l'incite à confier ses impressions[1] pour que Jean Rochefort cède à son lyrisme légendaire et invente une nouvelle critique d'art, qui emprunte à la science de l'éleveur, du meneur, du vétérinaire, du maréchal-ferrant, de l'ostéopathe et du sellier.

L'acteur zoologique ne distingue pas seulement le shire de l'appaloosa ou le pur-sang du demi-sang. Il est aussi capable de prélever sur une tête de cheval grecque des «ganaches viriles», de remarquer que le postérieur droit d'un destrier peint par Rubens est «un peu en retard», et de trouver chez François Boucher «un inquiétant croisement entre la daurade royale et le pur-sang arabe». Même la botte de foin ou le cuir ciré, il les sent.

Observant un tableau d'Auguste Raffet où sont dessinées les armures vides d'un prince et de sa monture, Jean Rochefort imagine que, «arpentant les couloirs du château, le chevalier s'impatiente», et on dirait soudain qu'il parle de lui. Jamais plus qu'au Louvre, il n'a eu envie de monter sur ses grands chevaux.

1. *Le Louvre à cheval*, de Jean Rochefort et Edwart Vignot, Éditions Place des Victoires/Louvre, 2011.

Dans l'œil du cheval

On trouve tout dans la vie fabuleuse de Robert Delpire : des revues (*Neuf*), des expositions (du Grand Palais à Beaubourg), des films (William Klein), des photos, des albums, des livres pour la jeunesse, des réclames, des collections (« Photo poche ») et surtout des génies qu'il a accompagnés, publiés, aimés. Parmi lesquels Picasso, Cartier-Bresson, Sartre, Breton, Prévert, Doisneau, Capa, Koudelka, Michaux, Savignac, Henry Miller, Robert Frank ou André François. Mais on a beau chercher, pas trace de chevaux dans sa galopante existence. Des crocodiles, des moutons, des chiens, des poissons, certes, mais des chevaux, jamais.

Or, voici que, à quatre-vingt-quatre ans, Robert Delpire, alias « Bob », les rassemble et les célèbre. Passion tardive pour ces œuvres d'art vivantes ? Envie de monter, toujours plus haut ? Non. Ce qui l'intéresse, dans le cheval, c'est l'homme. Ce qui le fascine, dans ce quadrupède en mouvement, c'est le photographe qui tente de l'arrêter.

Ce qui le captive, c'est la manière dont les artistes, depuis le premier daguerréotype jusqu'aux appareils numériques, ont voulu reproduire l'indéchiffrable beauté de cet animal mystérieux.

On sait, par exemple, qu'il fallut l'invention, en 1878, de la chronophotographie pour parvenir enfin à décomposer l'allure basculée, diagonale et asymétrique du galop à trois temps. Jusqu'alors, elle demeurait une énigme pour les peintres qui, tel Géricault, représentaient les chevaux comme des Pégase sans ailes. Question : le photographe qui immortalise les pur-sang disputant une course à Longchamp est-il plus près de la vérité que Géricault peignant les coursiers en lévitation du derby d'Epsom ? Réponse de Merleau-Ponty, dans *L'Œil et l'Esprit* : «La peinture ne cherche pas le dehors du mouvement, mais ses chiffres secrets. »

On trouve donc, dans le livre de Robert Delpire[1], les fameux clichés d'Eadweard Muybridge et d'Étienne-Jules Marey qui, du seul point de vue scientifique, contrarièrent, à partir de 1880, des siècles de peinture et de sculpture mensongères, et rendirent au cheval ses allures exactes, son irréfutable dynamique. Après quoi, les photographes — dont la plupart ne sont pas cavaliers — s'en donnèrent à cœur joie, chacun lui attribuant des vertus cachées et ses propres fantasmes.

De la première photographie équestre, datée de 1825 (il s'agit en fait de la reproduction d'un des-

1. *Le Cheval*, Actes Sud, 2010.

sin réalisée par un notable de Chalon-sur-Saône, Nicéphore Niépce), aux récentes et surréalistes prises de vue du prix de l'Arc de triomphe par Giampaolo Vimercati, cette «anthologie amoureuse», ainsi que l'appelle son érudit préfacier, Jean-Louis Gouraud, peut se lire comme une histoire parallèle de l'art auquel Robert Delpire a consacré l'essentiel de sa vie. On voit en effet qu'il y a mille manières de photographier un cheval : en plongée ou en contre-plongée ; en plan rapproché ou éloigné ; de face ou de côté ; au pré (où excellent Hans Silvester et David Alan Harvey) ou en studio (méthode partagée, en 1860, par Louis-Jean Delton et, en 2003, par Yann Arthus-Bertrand) ; à l'obstacle ou attelé (magnifique photo, à Marseille, de Cartier-Bresson) ; trop vivant ou trop mort (celui qu'a fixé Marc Riboud dans la neige de l'Alaska évoque celui dessiné par Géricault en 1823) ; avec un vieil appareil à soufflet ou un téléobjectif sophistiqué. Oui, mille façons, mais aucune pour percer l'irréductible secret de cet animal.

Grâce à ce livre, légendé en connaisseur par Alain Sayag, l'ancien directeur du Centre national de la photographie montre aussi que le cheval est, depuis la nuit des temps, un langage intemporel et universel. Il est parlé par les Indiens d'Amérique qu'Edward S. Curtis observe, en 1906, dans un canyon, et par les deux cavaliers solitaires que, sur un chemin du Népal, le moine tibétain Matthieu Ricard suit à la trace. Par les plus pauvres des

Namibiens comme les plus riches des cheikhs arabes, par les guerriers marocains des fantasias ou les paysans irlandais...

En prime, quelques portraits inoubliables : ceux de Geronimo dans la Sierra Madre, du rebelle mexicain Pancho Villa, de l'amazone de cirque Blanche Allarty-Molier exécutant, en 1929, une cabriole, et de feu Zingaro, le frison légendaire de Bartabas, dont Antoine Poupel a croisé le troublant regard. Était-ce d'ailleurs l'œil d'un cheval ou d'un photographe ?

UN BARTABAS,
DES BARTABAS

Galop arrière

C'est donc ça, une vie. Des photos sépia épinglées sur les murs encombrés d'une caravane fatiguée. Des films qui témoignent d'un temps révolu, d'une insouciance évanouie. Des proches qui se sont éloignés, et les voici soudain dans leur insolente, leur élastique jeunesse. Des chevaux disparus qui reviennent, pour un dernier tour, là où ils ont brillé, où on les a ovationnés, au premier rang desquels l'emblématique Zingaro, le frison de légende, le Rodin de la troupe, l'irremplaçable, l'irremplacé. De poignantes mélopées, de lancinantes partitions, et des musiciens dont on se demande ce qu'ils sont devenus depuis qu'ils ont retrouvé leur terre natale où nous n'irons jamais, le Rajasthan, la Corée, l'Himalaya... Des lumières qui se sont éteintes. Des enfants qui ont grandi. Un père à la crinière blanche et aux foulards roses qui révérait son fils, venait, dans l'ombre, assister aux répétitions et qui est mort, désormais. Tant de foules dispersées dans la nuit. Tant d'applaudissements que le silence a recouverts. Un galop arrière dans la poussière du temps.

Cela fait déjà vingt-cinq ans que Bartabas nous offre d'être les témoins privilégiés de sa relation intime, exclusive, énigmatique avec les chevaux. Vingt-cinq ans qu'on l'écoute leur parler, qu'on le voit les épouser, qu'on se demande ce qu'il cherche en eux, ce qu'il leur trouve. Vingt-cinq ans qu'on admire, sans toujours le comprendre, le spectacle sans cesse différent, toujours répété, de leur amoureuse complicité.

Galop arrière, film magnifique et poignant, qui plaide pour l'accomplissement équestre mais aussi spirituel du *rassembler*, n'est pas une rétrospective en images du théâtre Zingaro, c'est l'autoportrait d'un homme encore jeune qui n'a vécu que pour et par les chevaux. Qu'eût-il été sans eux ? Peut-être un moine bouddhiste, un vagabond, le poète de rares haïkus, un ermite dans sa grotte, un marin du cap Horn, un fou en liberté, on ne sait pas. C'est le miracle et la tyrannie de la vocation : elle impose sa loi, elle gouverne un destin, elle ne laisse place à rien d'autre. Bartabas a trouvé la sienne très tôt ; il ne travaille depuis qu'à la réaliser.

A-t-il seulement existé en dehors de son art ? A-t-il jamais dormi ailleurs que dans sa vieille roulotte ? Qu'a-t-il donc fait de ses souffrances, de ses doutes, de ses bonheurs ? Que reste-t-il, du mystérieux Clément, sous le triomphant Bartabas ? La seule réponse est celle-ci : jour et nuit, hiver comme été, pendant vingt-cinq ans, il s'est sacrifié, et il n'a servi que ses chevaux, son théâtre d'Aubervilliers, son académie de Versailles, son public. Regardez-le respirer : monter est son inspiration et créer, son expiration. Pour lui comme pour Don Quichotte, mettre pied à terre, c'est déjà abdiquer.

Galop arrière ne raconte rien d'autre qu'un sacerdoce, et le chemin qui conduit vers ce qu'il faut bien appeler une manière d'absolu. Entre la joie furibonde des premiers *Cabarets équestres* et le piaffer philosophique d'*Entr'aperçu*, il y a toutes les étapes qui ont mené Bartabas du cirque ambulant à la scène frontale du Châtelet, de l'épate à l'épure, de la castagne à la sérénité, de la fanfare au silence, de l'audace de la provocation à l'audace de la contemplation, du voyage d'exploration au voyage intérieur, et des soirées folles où coulait autrefois le vin chaud plein de sciure et de cannelle aux *Levers de soleil* d'aujourd'hui, au cours desquels cet écuyer d'exception monte avec une telle ferveur qu'on se demande si c'est la première ou la dernière fois.

Les saisons et les âges de cette vie, on les connaît : ce sont *Chimère*, *Éclipse*, *Triptyk*, *Entr'aperçu*, *Loungta*, *Battuta*. Des spectacles sauvés, par la magie du cinéma, de l'oubli à quoi l'art vivant est condamné. Mêlés et ajoutés les uns aux autres, ils expriment un splendide métissage culturel et laissent accroire que le désert de Thar est aux portes du Japon, que le Kerala jouxte le Tibet, que les cuivres de Moldavie accompagnent la voix sanglante d'une chanteuse de p'ansori. Ils rendent plus universel encore le cheval grâce auquel, depuis la fondation du théâtre Zingaro, sont réunis, pour le célébrer, des cavaliers, des musiciens, des danseurs du monde entier. Car si, de spectacle en spectacle, les couleurs changent, les lumières varient, les costumes se transforment, si l'eau remplace la terre et la neige recouvre la pouzzolane, le cheval, qu'il soit arabe, portugais, andalou ou anglo, reste l'unique et immémorial héros de cette geste collective. Un héros justicier qui ignore la tricherie et ne ment jamais.

Pour savoir, au-delà de tous les préjugés, qui est vraiment Bartabas, comprendre quelle a été son évolution en un quart de siècle, percer ses pensées les plus secrètes, connaître ses désirs, ses rêves, il suffit de l'observer à cheval. Il feint d'être redoutable et machiste dans les *Cabarets équestres*, où il pratique en virtuose l'équitation tauromachique, emprunte à partir de *Chimère* aux gestuelles de Pina Bausch, monte avec de plus en plus de grâce et une solennité digne de Nuno Oliveira, entre dans le cheval et devient véritablement centaure avec *Entr'aperçu*, s'éclipse de *Battuta* pour mieux se donner, seul, à ses *Levers de soleil*. C'est un parcours étonnant, troublant, à la fois physique et mystique, où revient, comme un leitmotiv, le fameux galop arrière que Quixote, étalon ortigoncosta béni des dieux, voulut bien autrefois lui concéder et nous offrir.

Afin de réussir le galop arrière, le capitaine du désert Étienne Beudant préconisait de la délicatesse, de la légèreté, l'usage des jambes et l'oubli de la main. «Il est nécessaire, écrivait-il dans *Exté-rieur et haute école*, que le cavalier reste très calme et qu'il arrête souvent pour rétablir l'équilibre.» Ce calme, qui est le beau visage de la sagesse, Bartabas l'incarne aujourd'hui et, afin de «rétablir l'équilibre», il signe ce film qui déroule les images du passé sans regrets ni remords. On pourrait presque croire que c'est un présent perpétuel.

Un samouraï à Versailles

Au pied de l'allée des Marmousets, elle surprend les touristes venus visiter le château du Roi-Soleil, les jardins de Le Nôtre et le bassin de Neptune ; pour les plus naïfs, elle tient du carrosse recomposé ou d'une de ces machineries dont Carlo Vigarani, intendant de Louis XIV et décorateur de théâtre, avait le secret. C'est la caravane de Bartabas, une Assomption construite en Bretagne dans les années 1950, augmentée de phares de DS, tractée par un International Loadstar 1800, immatriculée dans le 93 et peinte aux couleurs de Zingaro — vert bouteille et rouge sang. Devant la porte, il a placé des chaises, une table de camping et, sur la table, un bouquet de fleurs. Le chic forain.

Bartabas, qui y dort, y mange, s'y lave, a en effet retiré sa maison roulante d'Aubervilliers pour la faire pénétrer, sans demander d'autorisation à quiconque, dans le parc de Versailles. Jean-Jacques Aillagon, ancien ministre de la Culture et président de l'établissement public, s'en est inquiété pendant ses vacances : par téléphone, il a demandé à ses collaborateurs si l'on voyait la roulotte du gitan depuis la Galerie des Glaces. On l'a rassuré. Elle ne gêne pas les perspectives, n'abîme pas le paysage et ne ruine pas le prestige de la monarchie. Elle rappelle seulement à l'institution que le seigneur des chevaux n'en fait qu'à sa tête, se moque des conventions et demeure un irréductible nomade.

C'est la troisième fois qu'il est invité à créer un spectacle pour les Fêtes de nuit de Versailles. Des gradins de mille places, qu'il remplit chaque fois avec une ferveur digne des concerts rock des années soixante, ont été construits autour du bassin de Neptune, sur lequel de savants praticables permettent aux chevaux de suivre une chorégraphie magique. Bartabas adore ce pari fou et populaire. C'est aussi pour lui la seule occasion de rassembler, dans l'ombre portée du château et sur une scène de cent cinquante mètres d'ouverture, ses deux troupes : non seulement la tribu des Zingaro, qui excelle dans la voltige et la poste hongroise, mais aussi les écuyères de l'Académie du spectacle équestre (fondée, il y a cinq ans, dans la Grande Écurie du château), qui pratiquent avec la même virtuosité la haute école, l'escrime et le tir à l'arc — le kyudo. Les rebelles d'Aubervilliers et les élégantes de Versailles. Au total : une trentaine de cavaliers et une soixantaine de chevaux. L'armée des ombres.

Après *Le Chevalier de Saint-George* (2004) et *Voyage aux Indes galantes* (2005), voici donc, en

2008, *Les Juments de la nuit*. Bartabas, qui a la passion du Japon (où il est presque tenu pour un dieu vivant), s'est inspiré du *Château de l'araignée*, le film de Kurosawa, ou *Macbeth* au Soleil levant. «Le bruit des sabots, le chant du vent dans la forêt, le froissement des kimonos, tous ces sons oniriques et bien réels, je ne les ai jamais oubliés. Bien avant d'avoir une idée du spectacle (je travaille dans l'urgence avec des cavaliers que je connais depuis toujours), j'ai montré le film à toute la troupe. Elle a été fascinée.» Comme est fascinante la libre adaptation de Bartabas. Sur un bassin de Neptune cadré en cinémascope, une piste recouverte de sable noir et une musique de Jean Schwarz, les cavaliers incarnent les chefs de guerre, samouraïs, spectres et sorcières tandis que deux danseurs, Larrio Ekson et Miyoko Shida, interprètent Macbeth et Lady Macbeth — «J'adore Lady Macbeth, elle est pour moi la preuve que la femme est supérieure à l'homme». La voix grave de Bernard-Pierre Donnadieu rappelle l'enjeu — à la fois ambition et remords — de la tragédie de Shakespeare. L'orage gronde. Le vent souffle. Le ciel rejoint la terre.

Il y a, dans *Les Juments de la nuit*, où le Japon prolonge l'Écosse, où le théâtre ajoute au cinéma, où la danse des hommes se mêle au carrousel des chevaux, où le nô et le kabuki apaisent les cascades, où le noir se marie au blanc et le feu à l'eau, tout ce qui définit Bartabas : le centaure, le chorégraphe, le poète, le cinéaste (*Mazeppa*, *Chamane*), l'apôtre du métissage culturel, l'enfant émerveillé de l'Asie, de l'Inde, de La Guérinière, des Marx Brothers et de Pierre Boulez.

Après avoir célébré le *Macbeth* de Kurosawa sur la scène de Versailles, il rêve déjà de traduire, à sa manière, qui est unique, la *Médée* de Pasolini et l'*Othello*, d'Orson Welles. Mais avant, il lui faut emmener *Battuta*, sa dernière création, en Belgique, au Japon et enfin en Russie, où l'on attend avec impatience cet éloge du galop furieux et des tsiganes éternels. Insatiable, infatigable, irrécupérable, Bartabas est toujours sur les routes. L'artiste a la tête remplie de projets fous et de doutes fertiles. Et le chef de troupe n'oublie jamais que, faute de subventions (on se souvient de son geste de colère et de désespoir, dans un bureau de la Drac, l'hiver dernier, de son bref passage derrière les barreaux, de l'incompréhension qui s'ensuivit, de la solitude qui le saisit et dont il garde la blessure), il doit faire vivre à la fois le Théâtre Zingaro d'Aubervilliers et l'Académie du spectacle équestre de Versailles. «Je travaille avec un outil de riche : le cheval, qui exige du temps, de la place et des soins, mais je mourrai pauvre, et j'en suis fier», lâche-t-il en buvant un verre de bourgogne dans sa vieille caravane posée, pour deux petites semaines, dans le luxueux domaine des rois.

L'homme cheval

L'image est aussi fugace que saisissante. Dans l'obscurité, Bartabas baisse sa nuque sous l'encolure noire, où elle se love pour disparaître. Torse nu, bras écartés, comme décapité, il a désormais une tête de cheval aux oreilles dressées. On dirait un Chiron inversé. Chez le centaure de la mythologie grecque, la partie supérieure est en effet humaine et la partie inférieure, équine. Là, c'est l'inverse. Reste, pour le spectateur, un trouble inédit, presque une gêne. Quel être hybride, à la fois imberbe et poilu, bipède et quadrupède, carnivore et herbivore, se présente donc à nous, sur cette scène futuriste toute tendue de noir ? Où s'arrête l'homme, où commence l'animal ? On ne sait plus. Lui-même ne le sait pas. Seule certitude : cela fait un quart de siècle que Bartabas rêve de cette osmose, qu'il aspire à cette métamorphose. Le jour est enfin arrivé.

Le Centaure et l'Animal est l'histoire, magnifique et douloureuse, de cet accomplissement. Jusqu'à maintenant, le fondateur du Théâtre Zingaro, âgé de cinquante-trois ans, nous rendait témoins de sa relation exceptionnelle avec les chevaux. Depuis les lointains et festifs *Cabarets équestres*, on l'a vu évoluer de *Chimère* en *Triptyk*, et d'*Éclipse* en *Darshan*, se désencombrer, se radicaliser, s'épurer lors de solitaires *Levers de soleil*, perdre en exaltation ce qu'il gagnait en méditation, s'éloigner de plus en plus du spectaculaire et trouver en Asie ce que l'Occident était incapable de lui donner. Mais être à cheval, et même dans le cheval, ne lui suffisait plus. C'est cheval que l'ascète voulait devenir.

Pour y parvenir, il a beaucoup maigri. Il a fondu afin de mieux se fondre dans son nouveau corps. Il a rasé son crâne équin. Il a travaillé sa respiration. Il n'a cessé, pendant deux années, de s'alléger et s'assouplir comme s'il ne voulait plus peser désormais sur ses chevaux — Horizonte, Soutine, Pollock et Le Tintoret —, qu'il monte parfois à cru et sans enrênements, le plus naturellement possible, s'abandonnant à eux, se laissant guider par eux, se couchant même sur le sol noir avec eux. «C'est, dit-il, le lâcher-prise. Arrive le moment où l'homme acquiert l'instinct du cheval et le cheval accède à l'intelligence de l'homme. Ils ne font alors plus qu'un.»

Grâce au cinéaste Alain Cavalier, qui le filme depuis 2004, il a ensuite découvert *Les Chants de Maldoror*, de Lautréamont, ce texte prophétique peuplé de bêtes surgies de l'inconscient, crabes, araignées, pourceaux, crapauds, poulpes, chiens, serpents, dragons et d'un cheval dont «la partie supérieure revêt la forme d'un buste d'ange». Il a lu le livre en une seule nuit, commotionné par l'énergie animale qui s'en dégageait. Enfin, de Tokyo, où il l'avait rencontré à l'occasion d'une tournée de *Battuta*, il a fait venir le Kô Murobushi, virtuose du butô, cette «danse du corps obscur» née sur les ruines d'Hiroshima pour dénoncer, jusqu'au grotesque, l'absurdité de la guerre et faire rendre gorge à l'horreur.

Sur l'immense scène du Théâtre national de Chaillot, le centaure aérien, au visage peint en blanc, et le danseur arachnéen, au corps argenté, se frôlent, se croisent, se répondent et, chacun à sa manière, l'un trottant à cru, l'autre rampant nu, réussissent ce miracle : remonter le temps, en une heure vingt, jusqu'aux origines de l'humanité, et restituer à l'homme l'animalité qu'il a éradiquée ou détournée, tandis que le cheval dressé, abdiquant sa sauvagerie originelle, devient l'égal du danseur. C'est d'une effrayante beauté et d'une violence d'autant plus forte qu'elle est intérieure, invisible. L'obsédante musique de Jean Schwarz et les *Chants de Maldoror*, dits de manière biblique par Jean-Luc Debattice, accompagnent cette lente chorégraphie de la métempsycose.

Le Centaure et l'Animal n'est pas un spectacle de plus dans la longue épopée de Bartabas. C'est l'aboutissement d'une vie, le basculement, désespéré et libératoire à la fois, d'une vocation d'homme en destin animal. Chez Lautréamont, il a lu ceci, qui l'a bouleversé : « Revenir à ma forme primitive fut pour moi une douleur si grande que, pendant des nuits, j'en pleure encore. » Le spectateur, lui, en frémit toujours.

Danse avec les criollos

Elles ont les cheveux libres, les épaules nues et, sous de longues robes, l'assiette lascive. Elles n'ont jamais été plus dominatrices et voluptueuses à la fois. À peine les reconnaît-on. Au placard, les vestes strictes, les pantalons gris, les catogans et les fleurets mouchetés. Depuis qu'elles ont quitté, en mai dernier, leur manège de Versailles, où elles pratiquent la haute école avec rigueur et ferveur, les écuyères de l'Académie du spectacle équestre sont parties à la conquête du monde. Il est rond comme une orange.

Fini, en effet, le rectangle traditionnel des reprises et carrousels du Roi-Soleil. Les voici qui découvrent la piste circulaire : une épaisse galette de terre ocre ceinte de sable volcanique noir. Pourtant dressés à la perfection, même leurs chevaux — les fameux lusitaniens cremellos et les argentins criollos — semblent étonnés, suspicieux, ajoutant les coups de cul aux écarts. C'est qu'ils doivent compter ici avec des partenaires inédits : seize danseurs, femmes et hommes, qui les tutoient, les narguent, les provoquent et tentent aussi de les séduire. Les deux corps de ballets, l'un en altitude, l'autre au sol, s'ignorent d'abord, se jaugent ensuite, s'épousent enfin.

Voici donc, rassemblée en quatre-vingt-dix minutes sur une musique de Philip Glass, l'histoire extraordinaire d'un couple qui remonte à la plus haute antiquité : l'homme et le cheval, le bipède et le quadrupède, le carnivore et l'herbivore. Pour l'exalter, le célébrer, le réinventer, il fallait un autre couple, inédit et fusionnel. Il est formé de la chorégraphe Carolyn Carlson et du centaure Bartabas. La première aime que le cheval n'ait jamais renoncé à sa sauvagerie ; le second n'a jamais cessé de faire danser les chevaux. L'une demande une énergie folle, proche de la rage, à ses danseurs. L'autre transforme au contraire ses montures musculeuses en figures de style raffinées. Les deux sont fascinés par ce qui a précédé la civilisation et l'art d'avant l'art. Leur œuvre commune, *We Were Horses*, est une recherche du temps perdu, où la grâce ne va pas sans violence ni le bonheur sans douleur.

Les fidèles du maître de Zingaro verront ici défiler, comme en accéléré, les inoubliables images d'*Éclipse* (où étaient déjà associés des danseurs venus de chez Béjart et Pina Bausch) et de *Triptyk*, avec ses reptiliens Indiens du Kerala. Et les adeptes de Carolyn Carlson retrouveront les traces de sa « poésie visuelle ». Créé le 27 mai 2011 dans une friche industrielle de Bruay, le spectacle est arrivé à Monaco, le 8 juillet, pour célébrer un autre mariage princier : celui du seigneur des chevaux et de la reine du mouvement. Voici leur premier enfant. Il a quatre jambes, une tête humaine et un bel avenir.

Grand-messe

« Je n'ai jamais cru en Dieu qu'à cheval », m'écrivit un jour Christine de Rivoyre, la romancière de la forêt des Landes, qui a beaucoup monté dans le petit matin et ses lumières de vitrail. La phrase vaut également pour Bartabas, ce mécréant saisi par la grâce dont les spectacles équestres, nés il y a un quart de siècle dans la colère, la provocation et la protestation, ont sans cesse gagné en spiritualité pour ressembler désormais à des grand-messes. Il suffit d'admirer le centaure au travail dans une poussière d'encens pour lui trouver de troublantes ressemblances avec un pénitent, un prêtre ou un moine. Monter, verbe ascensionnel. De sa vie, vouée exclusivement au dieu cheval, Bartabas a fait un sacerdoce.

Il était donc écrit qu'il piafferait un jour dans une vraie cathédrale. Le miracle s'est produit à Rouen, dans la bonne ville du cavalier Flaubert. Pendant une semaine, dimanche compris, Bartabas a investi, avec ses écuyères de l'Académie du spectacle équestre de Versailles, l'immense abbatiale Saint-Ouen (cent trente-sept mètres de long, trente-trois de haut) dont il a fait recouvrir le sol d'un tapis noir et moelleux de sable volcanique. Pour cette *Liturgie équestre*, inspirée du *François d'Assise* de Joseph Delteil, Bartabas a réveillé l'orgue de son long sommeil (le buffet date de 1630) et demandé au jeune et vibrionnant Vincent Dubois d'y interpréter, de Bach à Messiaen, des musiques célestes. Il a aussi fait appel au chanteur et danseur basque Beñat Achiary dont la voix d'angélus résonne sous les voûtes gothiques et dialogue avec les chevaux. Un ange passe.

Pendant plus d'une heure, les écuyères et leurs lusitaniens crème aux yeux bleus déroulent un carrousel divin entre les colonnes blanches qu'elles semblent caresser, dessinent dans la nef des appuyers claudéliens, entonnent a capella un chant grégorien, et adoucissent la beauté marmoréenne de l'abbatiale. Et puis vient Bartabas, qui passage et danse sur Horizonte ou sur Le Caravage, ses chevaux ailés, ses Pégase. Il est en lévitation. Est-il encore homme, est-il déjà cheval ? On ne sait plus. Le cliquètement du mors de bride ajoute à la musique de l'orgue, au chant d'Achiary. Le temps s'arrête. On est bouleversé. Ce n'est plus un spectacle, c'est une offrande.

Tournez manège

« Le roi nous a demandé de tout brûler, alors on brûle tout ; » C'est Le Baron, chambellan moustachu, rigolard et cérémonieux du Théâtre Zingaro, qui parle, dans la fumée noire d'un grand feu de joie. On est en mars 2009. Tandis que Bartabas triomphe à Tokyo avec *Battuta*, la belle cathédrale de bois édifiée il y a vingt ans, au Fort d'Aubervilliers, par l'architecte Patrick Bouchain, est soudain réduite en cendres. Les gradins, les poteaux, les portes sont abattus. La piste circulaire n'est plus, où furent donnés, au fil des ans, toutes les grand-messes artistiques consacrées au dieu cheval : *Chimère*, *Éclipse*, *Triptyk*, *Loungta*, et *Battuta*. Ne reste plus, désormais, qu'une grande coquille vide. Un immense cénotaphe, dans la banlieue nord de Paris.

Lorsqu'il est rentré du Japon, au printemps dernier, Bartabas a aussitôt changé de place sa caravane Assomption (elle était depuis toujours à l'entrée du Théâtre, elle est maintenant en retrait, juste au-dessus de la carrière) et endossé le bleu de chauffe du chef de chantier. Assis sur un siège pliant au milieu de la dalle de béton fraîchement coulée, il a contemplé tranquillement l'étendue du désastre et mesuré l'ampleur de sa décision. Il avait tout cassé. Il ne pouvait plus revenir en arrière. Il faisait table rase du passé. Il cessait de tourner en rond. Il allait enfin renverser les lois du cercle circassien, briser le rituel du spectacle traditionnel où le public entoure la piste de lumière et mettre un terme provisoire aux longues pérégrinations nomades qui, sous un chapiteau itinérant, ont mené sa troupe en Asie, en Amérique, et à travers l'Europe, de Namur à Moscou. L'anniversaire du Théâtre Zingaro — vingt-cinq bougies, à l'automne de 2009 — serait révolutionnaire ou ne serait pas.

Son idée folle ? Installer désormais les spectateurs au centre, sur un grand tourniquet conique, autour duquel courront des chevaux ivres de vitesse. Une version urbaine du western. Fort Alamo en Seine-Saint-Denis. Cinq cents spectateurs (contre mille, dans l'ancien dispositif) en rotation lente et en apesanteur, comme prisonniers du spectacle dont ils ne pourront pas sortir avant l'épilogue. D'ailleurs, les retardataires en seront pour leurs frais ; et les malheureuses victimes de malaises, ça arrive, devront être évacuées, au cours de la représentation, par un escalier de secours en colimaçon situé au sommet de l'intrigante toupie en bois. Un pari risqué. Un pari fabuleux, aussi.

Car si quarante chevaux galoperont sur l'étroite bande de sable noir, la plupart évolueront derrière un écran circulaire — l'équivalent de quatre scènes de dix-huit mètres d'ouverture. C'est donc à un étonnant théâtre d'ombres que nous convie Bartabas. Le public en mouvement perpétuel (où personne ne verra donc les mêmes scènes) va ainsi participer à la longue transhumance imaginaire de la cavalerie Zingaro. Il voyagera par tous les temps, au soleil, dans la brume, sous la pluie battante et contre le vent mugissant ; dans tous les pays, des plus chauds aux plus froids ; sur tous les terrains, plats ou pentus ; et sur toutes les musiques, du baroque au jazz. Il verra des moines s'endormir en selle, des piétons renversés par des hordes galopantes, des cavaliers qui ont des têtes d'animaux ou portent des masques à gaz, des anges et des diables, des manèges de ballons colorés, des parapluies volants, des violons sur le toit, et même des nus — « On ne dit jamais d'un cheval qu'il est nu, je voudrais qu'on ne le dise pas davantage des filles et des garçons », explique Bartabas, revenu, pour ce spectacle édénique, à l'état d'enfance — un grand sourire encadré par des rouflaquettes.

Pour le centaure qui a déjà expérimenté l'ombre chinoise dans son manège de Versailles, où il piaffait derrière un drap blanc, et sur la scène du Châtelet, dans *Entr'aperçu*, la magie picturale des silhouettes évoque en effet l'émerveillement de l'enfance : « J'ai voulu retrouver les mains qui se transforment en lapins ou en chameaux, les *Gédéon* de Benjamin Rabier que mon père me lisait, le manège enchanté, le cheval à bascule, les œuvres silencieuses de Delacroix, la poésie de Cocteau, et les dessins d'Enki Bilal. Surtout pas de vidéo, pas de projection d'images. Il s'agit au contraire de rester dans la réalité, seulement éclairée et grossie par des projecteurs qui la saisissent jusque dans ses moindres détails. Il faut qu'on sente, derrière les écrans, une présence mystérieuse qui s'agite. De l'humour, aussi. C'est un spectacle très simple, artisanal, et même bricolé, dont j'aimerais qu'il soit la source d'une infinie rêverie et d'une légère griserie. Un grand spectacle intime, en somme. »

Bartabas a hésité entre plusieurs titres. Il a finalement choisi *Darshan*. Pas seulement parce que ce mot religieux, qui signifie « vision du divin » en Inde, compte sept lettres, comme tous les intitulés de ses précédents spectacles. Mais aussi parce qu'il traduit au plus juste ce à quoi secrètement il aspire : « Rendre perceptible une part de l'invisible, décupler la vue, transférer au spectateur les vertus des sujets représentés, c'est-à-dire des chevaux, qui restent pour moi le plus beau vecteur du voyage intérieur à travers le temps et l'espace. »

Car si le Théâtre équestre Zingaro est aujourd'hui sens dessus dessous, si les gradins traditionnels finissent de se consumer au milieu des roulottes vert et rouge de l'avenue Jean-Jaurès, si la lumière s'incline devant les ombres pour un spectacle somptueux qui va surprendre tous ses fidèles, Bartabas, lui, ne change pas. Un quart de siècle après la naissance de sa compagnie, il continue de déclarer sa flamme exclusive au cheval, grâce auquel il n'en finit pas de rajeunir, jusqu'à retrouver, dans le mouvement chaloupé du galop arrière, l'enfant qu'il fut et se rêvait jockey. Adulte, il ressemble toujours au petit Alec montant à cru, dans la mer, *L'Étalon noir*.

Chez le dieu Hermès

Lentement, les écuyères de l'Académie du spectacle équestre remontent le temps au trot assis. Elles ne sont pas pressées, elles ont l'avenir derrière elles. Parties du château de Versailles sur leurs chevaux crème, elles arrivent au Grand Palais pour annoncer le printemps. Elles ont traversé deux siècles en parcourant vingt-deux kilomètres. Ils mènent de la Grande Écurie royale, édifiée en arc de ciel par Jules Hardouin-Mansart, à l'imposant monument républicain gardé par les quadriges en cuivre repoussé de Georges Récipon — *L'Harmonie triomphant de la Discorde*, tout un symbole.

Au plus profond des selles en demi-lune que la maison Hermès (dont le fondateur fut un artisan sellier du XIXᵉ siècle) a dessinées pour l'Académie, elles ont le dos droit, le port altier, la main légère et les jambes insinuantes. Elles sont fières et modestes à la fois. Elles sont très jeunes, mais pratiquent un art très ancien. Elles ne sont pas riches, mais ce sont des héritières. Héritières d'une haute école dont le Roi-Soleil voulut faire, avec la musique, le théâtre et la danse, son spectacle quotidien, sa splendide exigence. Elles ont ainsi appris à vivre dans un temps parallèle, où l'on ne compte plus les mois passés à mettre un cheval, à lui apprendre à piaffer, à passager, à danser sur une musique de Rameau, de Couperin ou de Bach. Et surtout à s'améliorer soi-même. Tant il est vrai que, si l'équitation est un art, un sport, un loisir, elle est d'abord une morale, fondée sur la patience, l'humilité et la générosité de la transmission. C'est ce que leur suggère Bartabas, le virtuose du galop arrière, depuis qu'il a créé, en 2003, cette compagnie-école dont les seuls maîtres sont les chevaux. Une vie ne suffit pas à savoir les écouter, et leur répondre.

Pour le spectacle inédit qu'il présente sous la verrière du Grand Palais, et qui rejoindra un jour le répertoire de l'Académie, à Versailles, Bartabas a choisi une pièce brève, d'une quinzaine de minutes : le célèbre *Boléro*, de Ravel. Cette musique de ballet pour orchestre en *do* majeur, que le compositeur avait dédiée à la danseuse russe Ida Rubinstein, a la particularité d'avoir un rythme et un tempo invariables, du début à la fin. Elle tient sa force lancinante, entêtante, obsédante, presque maladive, de sa mélodie répétitive que seul le crescendo progressif de l'orchestre pousse jusqu'à l'étourdissement, conduit à la folie.

À la vérité, il n'y a pas plus équestre que ce *Boléro* — on dirait d'ailleurs le nom d'un cheval. Non seulement parce que le rythme, marqué par le tambour, est celui du galop à trois temps, mais aussi parce que les solos instrumentaux finissent par s'unir comme les chevaux s'accordent et se conjuguent lors d'un carrousel. Et puis, le *Boléro* repose sur l'art de toujours surprendre, malgré l'uniformité du thème, et de donner du mouvement à l'immuable. Or, qu'est-ce que l'art équestre sinon la répétition, depuis la Renaissance italienne, des mêmes exercices, des mêmes figures imposées, des mêmes airs relevés, auxquels les écuyers ajoutent, siècle après siècle, et chacun à sa manière, leur grâce, leur inspiration, voire leur génie ?

Ainsi, au cœur de Paris, dévolu pendant trois jours à Hermès, le dieu des voyageurs et le gardien des routes, des lusitaniens crème aux yeux bleus et des criollos argentins gris montés par des cavalières cosmopolites vont danser sur une musique française d'inspiration arabo-andalouse sous l'autorité d'un centaure mirobolant qui tient à la fois du Quichotte, de François Baucher et du roi des gitans. C'est peu dire qu'on va galoper dans l'espace et le temps. L'espace illimité des cavaliers qui ne se retournent jamais ; le temps infini des chevaux, dont la mémoire prodigieuse semble précéder la naissance.

Le plus dur sera de retourner ensuite à la vie réelle et à la ville des piétons. À moins de demander l'asile philosophique au seigneur des chevaux, dans sa Grande Écurie de Versailles ou son Théâtre Zingaro. Ne vous fiez pas à sa rudesse, il est très accueillant.

Mourir de rire

Pour Alexandre Dumas, « les morts vont vite ».
Chez Bartabas, ils galopent : les morts ont le mors
aux dents. Il leur arrive même de voler sous le
chapiteau de Zingaro et de venir se poser sur un
cheval de voltige. Car les squelettes ambulants
savent tout faire : planer en douceur, monter des
percherons dalmatiens, baiser avec des ossements,
tirer au pistolet et même danser le moonwalk de
Michael Jackson. C'est, au sens propre, à mourir
de rire. Et parfois émouvant à pleurer. *Calacas* est
un spectacle époustouflant, où Bartabas réinvente
son art dans un dispositif inédit : deux pistes circu-
laires se répondent, la traditionnelle, en bas, et la
nouvelle, en haut. Les yeux émerveillés du public,
situé entre les deux, vont sans cesse de l'une à
l'autre, de la terre au ciel, jusqu'au vertige. Dans
une atmosphère festive, qui rappelle les *Cabarets
équestres* des origines et où seul manque le vin
chaud, le centaure universel mène une danse
endiablée avec la mort au rythme des fabuleux
tambours mexicains, des orgues de Barbarie et des

glougloutements de dindons. Jamais les chevaux n'ont été plus libres, plus vivants. À la fin passe, au petit trot, un dodelinant Christ en croix. Mais que les catholiques intégristes ne sortent pas leur huile de vidange. Il s'agit en fait du Barabbas des *Évangiles*.

Les sculpteurs d'éphémère

Petit, Bartabas, qui s'appelait encore Clément Marty, avait une peur panique des chevaux, ces «monstres de sept cents kilos». Une peur dont il a aussitôt compris qu'il devait la vaincre et la surmonter pour grandir et se grandir.

Et puis le temps a passé au galop. À cinquante-cinq ans, il habite toujours la même roulotte. Le seul privilège qu'il se soit récemment octroyé, c'est de l'augmenter d'un petit auvent dont il a fait son salon, avec fauteuils en cuir rouge et vue plongeante sur la carrière de dressage. On voit que le luxe n'est pas son affaire. Il ne l'a jamais désiré, pas plus qu'il n'a cherché à s'enrichir. D'ailleurs, pendant que ses contemporains grossissent, lui ne cesse de maigrir. Le cas est unique.

Alors que ses spectacles équestres de plus en plus exigeants et populaires sont entrés dans la légende et que, de New York à Tokyo, sa notoriété a gagné le monde entier, Bartabas n'a pas changé. Depuis 1989, le chef de la tribu Zingaro mène toujours une vie de bohème sur un terrain vague d'Aubervilliers qui tient du campement manouche, de la réserve indienne, du village d'Astérix, de l'église réformée, du phalanstère fouriériste et de la principauté sécessionniste. Ce n'est pas une posture, c'est un principe. Fidèle à ses origines vagabondes du Cirque Aligre et du Théâtre emporté, le centaure de *Chimère* ne saurait créer dans l'aisance, inventer dans le confort ni pactiser avec l'institution. Dès l'aube, il travaille seul ses chevaux, dans une intimité exclusive et exigeante. Et parce qu'il refuse les sponsors, les mécènes, les subventions, chacun de ses spectacles est une énorme prise de risque. Plus il avance, moins il s'installe. Mieux il réussit, plus il est en rupture de ban. Son temps à lui est déraisonnable.

Pour comprendre sa singulière philosophie, il faut lire le manifeste que ce révolté tranquille signe en faveur de la vie d'artiste[1], qui est aussi un précis de résistance à l'industrialisation, la marchandisation et la banalisation de la culture. Lui qui n'écrit jamais, sauf des alexandrins dans la sciure du chapiteau, rassemble les versets de son évangile. De même qu'il a fait de son métier un sacerdoce, il demande à son public d'entrer dans son théâtre comme dans une église où seul le cheval, cette divinité dont il est l'humble officiant, dicte sa loi. Elle repose sur la justice, la justesse, la patience, le partage et le droit imprescriptible de rêver.

1. *Manifeste pour la vie d'artiste*, Autrement, 2012.

Ce manifeste, d'autres artistes zingariens — «Je ne suis pas à la recherche d'amis, professe Bartabas, je suis à la recherche de compagnons de route» — s'en réclament ici. Le bien nommé Alain Cavalier, qui filme depuis sept ans la relation entre Bartabas et son cheval Le Caravage; Alexandre Tharaud, qui parle de son piano comme d'un pur-sang et joua du Bach, un été, au milieu des écuyères de Versailles; le chef Alain Passard, lui aussi «sculpteur de l'éphémère», qui aspire à la même légèreté qu'un écuyer; mais aussi des danseurs, des dessinateurs, un jongleur, un peintre, un torero, un jockey et l'ex-maire d'Aubervilliers, Jack Ralite, qui a raison de citer Jean Vilar pour désigner Bartabas: «Il faut avoir l'audace d'imposer au public ce qu'il ne sait pas qu'il désire.»

DEMAIN

Kamel sans filtre

À la télévision, c'est le visage d'Equidia, la chaîne des toqués d'équidés. Plus précisément d'Equidia Life (sa sœur jumelle, Equidia Live étant consacrée aux courses et aux fans du PMU). Il s'appelle Kamel Boudra, mais, en sortie de piste ou au paddock, tous les cavaliers l'appellent «Kamel» comme, sur le plateau de *Taratata*, les chanteurs donnent du «Nagui» à Nagui Fam. Les deux animateurs ont le même sourire, le même humour, la même aisance.

Plus qu'un présentateur, Kamel est un symbole. En lui se reconnaissent non seulement les professionnels de l'équitation, mais aussi tous les Français (un million!) qui pratiquent ce sport, doublé d'un loisir et d'un art. Chaque dimanche soir, il commente, à chaud, les compétitions internationales de saut d'obstacles. Sa science est sidérante. Il connaît les origines, les vertus et les vices de chaque cheval; l'histoire, les forces et les faiblesses de chaque cavalier. À quarante-cinq ans, il garde un enthousiasme enfantin, s'émerveillant de la manière spectaculaire dont un couple vole au-dessus d'un énorme oxer ou gagne un barrage à la vitesse de l'éclair. Il y ajoute un raffinement d'esthète, car il n'imagine pas, dans une compétition, de prouesse sans grâce, de défi sans légèreté, et de victoire sans style. Il y a du critique d'art, de théâtre et de danse chez ce Nagui des sports équestres.

Il ne vient d'ailleurs pas du monde du cheval, et il prétend n'être même pas cavalier. Né en 1966 à Châtillon-sur-Indre d'un père employé à la centrale nucléaire de Chinon, Kamel Boudra n'a pas eu le privilège de fréquenter les centres équestres où les enfants aisés sacrifient aux séances de tape-cul et où leurs parents tweedés trottinent enlevé le dimanche. Au fils d'immigré algérien, monter était inaccessible. Tout juste pouvait-il y rêver. Les chevaux, il ne les aimait que de loin, dans les prés berrichons où ils folâtraient derrière des lices blanches. Mais très tôt, il pressentit qu'ils seraient, un jour, ses alliés substantiels. Un drame — sa mère met fin à ses jours — le précipita dès l'adolescence dans l'âge adulte. Il eut alors la conviction que seuls ces grands animaux si sauvages, si soumis, l'aideraient à grandir, à se grandir.

Après avoir passé un bac économie et fait des études de l'art, il entra à Radio France Berry, où il découvrit l'excitation du direct et, au micro, le bonheur de s'exprimer, de libérer tout ce qui était enfermé en lui. Et quand Equidia lança un appel d'offre, il se précipita comme, petit, il courait

172

assister dans les champs à l'attendrissant spectacle de juments suitées dont les poulains venaient se lover sous l'encolure protectrice. Il passa un casting, qu'il remporta haut la main. Sa ferveur de néophyte ne trompait pas : elle profite, depuis sept ans, à la petite chaîne du cheval au succès grandissant qui a fait de Kamel son ambassadeur, son globe-trotteur et son meilleur interviewer.

Les chevaux, il apprit à les connaître en les fréquentant, se passionnant jusqu'à l'obsession pour leur généalogie. Quel est le père, quelle est la mère ? Qui faut-il croiser pour produire un crack ? Il a attrapé si fort le virus qu'il est passé de l'autre côté. Aujourd'hui, Kamel Boudra est devenu éleveur. Dans le Berry de son enfance malmenée, et sous le joli nom de Villa Rose, il fait naître des selle français (SF) qu'il destine au saut d'obstacles et au concours complet. Il possède six poulinières, d'origines anglo et pur-sang. « Imaginer un champion, dit-il, c'est comme pour un peintre jeter ses couleurs sur une toile, c'est un pur acte de création. » Son seul regret est de manquer de temps pour vivre dans son élevage.

Car Kamel Boudra est un infatigable représentant du commerce avec les chevaux. Pour Equidia, il suit les plus prestigieuses compétitions, vole de Leipzig à Cannes et d'Abu Dhabi à Genève. Et lorsqu'il descend de l'avion, c'est pour filer, au volant de sa voiture, dans les écuries des champions de saut d'obstacles dont il dresse de passionnants, surprenants portraits dans son émission

Profession cavalier. Il est chaque fois accueilli comme un membre de la famille. Il inspire confiance. À lui, on peut tout dire, révéler ses secrets techniques, ouvrir son cœur et même son portefeuille, le laisser interroger grooms et vétérinaires, épouses et époux, frères et sœurs.

Et c'est ainsi qu'on découvre chez eux, dans leur intimité, les Normands Pénélope Leprevost, Eric Navet, Patrice Delaveau, Julien Épaillard, le Lorrain Simon Delestre, la dynastie des Rozier à Bois-le-Roi ou encore Roger-Yves Bost à Barbizon. Kamel est curieux de ces cavaliers qui nous font tant rêver, mais c'est à l'instant où, avec sa caméra, il pénètre dans les box, caresse les robes lustrées de Mylord Carthago, l'entier gris de Leprevost, de Katchina Mail, la jument baie de Delaveau, ou d'Idéal de la Loge, l'étalon selle français de Bost, que cet homme dont les chevaux ont éclairé, embelli et surélevé la vie est le plus ému. C'est contagieux.

La femme est l'avenir du cheval

C'est une révolution douce dont personne ne parle, un bouleversement des mœurs sans équivalent dans la société française qui tient en une phrase : aujourd'hui, plus des trois quarts des cavaliers sont des cavalières. En quelques décennies seulement, un monde, qui était de tradition militaire et d'obédience machiste, et où les hommes régnaient en maîtres absolus, a en effet été conquis par les femmes. Une victoire gagnée à califourchon et en douceur, sans combat ni revendication d'aucune sorte, sans triomphalisme bêta ni militantisme féministe. Une victoire à la Sagan, et non à la Jeanne d'Arc. Une victoire qui illustre à merveille les lois fondamentales de l'équitation, bafouées par des siècles de charges héroïques et de cavalcades guerrières : on n'obtient rien de son cheval par la force et la violence, mais il donne tout, et plus encore, si on sait le monter avec délicatesse, finesse, avec des aides invisibles, avec l'air de ne pas y toucher. Cela s'appelle le tact équestre, vertu ô combien féminine où le plaisir a sa part : « Monter à cheval, c'est aussi bon que de faire l'amour », confessait Christine de Rivoyre, qui s'y connaissait à la fois en équitation et en séduction.

Jusqu'à la fin du siècle dernier, le monde du cheval sentait la caserne, la sueur et le vieux whisky. Il ressemble désormais à un gynécée. Il suffit d'aller dans n'importe quel centre équestre pour le constater : rien que des filles. Les rares garçons se cachent pour s'y rendre — c'est comme s'ils prenaient, craignant les quolibets, des cours de danse classique. Au centre des manèges, d'accortes monitrices ont pris la place des maigres officiers à la retraite qui, jadis, menaient les reprises d'une voix de stentor, en faisant claquer leur cravache sur des bottes trop cirées. Quant aux propriétaires, ce sont des femmes, pour la plupart. Elles ont, pour leur cheval, des yeux de mère et des égards d'amante. Elles mettent des sentiments là où les hommes ne veulent que du rendement ; elles préfèrent l'émotion à l'exploit et la grâce à la gagne.

Mais là encore, les choses changent à la vitesse du triple galop. En haute compétition, les femmes excellent en dressage mais elles avaient laissé aux hommes, sans doute pour ne pas trop les humilier, les épreuves internationales de saut d'obstacles. C'est désormais fini. Les femmes rivalisent de vitesse, de justesse et de légèreté. (Rappelons que l'équitation est la seule discipline olympique à respecter à la fois la parité et la longévité : femmes et hommes participent aux mêmes épreuves, et il n'y a pas de limite d'âge.)

J'oubliais : en attendant que, dans un futur proche, l'équitation devienne un sport exclusivement féminin, je ne cache pas mon bonheur d'être encore cavalier. Il n'y a rien de plus délicieux que de dessiner des appuyers au milieu de jeunes filles en fleurs. On a l'impression d'herboriser.

Un animal politique

On est rassuré : non seulement Hitler et Staline avaient horreur des chevaux, mais ils en avaient aussi peur. Ils jugeaient l'animal indocile dans sa tête, dangereux à ses extrémités et inconfortable en son milieu. Et ils craignaient, en se hissant sur son dos, de se ridiculiser. Une chute est si vite arrivée.

Seulement voilà : on aurait tort d'espérer en tirer une morale provisoire en vertu de laquelle, au siècle dernier, l'équitation et la dictature eussent fait mauvais ménage. Car, à la même époque, Mussolini n'aimait rien tant que parader sur des étalons gris et le général Franco, bon cavalier, se fit couler dans le bronze au pas espagnol — il fallut d'ailleurs attendre l'arrivée au pouvoir de José Luis Zapatero pour que, en 2005, la triomphante statue équestre du caudillo fût déboulonnée de son socle, sur une place madrilène.

Malgré tous les louables efforts tentés par Jean-Louis Gouraud pour savoir de quel côté tire le cheval, il est bien en peine de lui attribuer une ligne idéologique. Et pour cause : le cheval ne parle pas et il est très accommodant. On l'a vu porter, avec la même indulgence, l'empereur Hirohito et le Che Guevara, Hassan II et le maréchal Mobutu, le Britannique Winston Churchill et le Nord-Coréen Kim Jong-il, le président Roosevelt et Yasser Arafat. Et l'on aurait du mal à dire, de Vladimir Poutine ou de Ronald Reagan, lequel ressemble le plus à un cow-boy, qui est le plus américain.

La seule thèse avancée pour tous ces politiques, qu'ils fussent démocrates ou fascistes, monarques ou ministres, est que toujours le cheval les avantage. Pour eux, ce n'est plus un quadrupède, c'est un piédestal. Ce n'est plus l'instrument de la victoire, comme au temps de Louis XIV ou de Napoléon, mais c'est encore un attribut du pouvoir. Ce n'est plus un moyen de locomotion, c'est désormais un outil de promotion. On ne compte plus en effet les chefs d'État qui se font peindre à fresque sur des étalons fringants et dans des décors paradisiaques : ainsi Kadhafi gouvernant, à cheval, d'immenses champs de blé ; Oussama Ben Laden chargeant, sabre au clair, sous un ciel d'azur, les ennemis de l'islam ; ou Saddam Hussein, en selle sur un pur-sang arabe, menant fièrement son peuple armé au combat.

On aurait tort d'en rire et de croire que cette imagerie équestre ne fleurit qu'en Corée du Nord, en Libye ou au Zaïre. Lorsque, visitant les Saintes-Maries-de-la-Mer en avril 2007, Nicolas

Sarkozy s'offrit aux cameramen et aux photographes parqués sur une bétaillère en tenue de Lucky Luke — chemise à carreaux et jean — pour monter, avec circonspection, un gentil camarguais à l'arrêt, il ne fit rien d'autre que de tenter de se grandir aux yeux des Français. Mais ce fut en vain. La photo était trop posée et la conviction du président, incertaine. Il jouait au cavalier, il n'en était pas un.

Pour Christophe Donner, qui a contribué au livre de Jean-Louis Gouraud, le cheval est d'ailleurs un animal centriste. La preuve, selon lui : François Bayrou est éleveur, Hervé Morin propriétaire d'un crack et Philippe Augier, maire de l'hippique Deauville. Mais, quelques pages plus bas, Marine Le Pen fait l'éloge de l'équitation et des vertus qui s'y attachent — «intelligence, douceur, subtilité»! — tandis que Laurent Fabius se flatte d'avoir été un cavalier d'obstacles. C'est à n'y rien comprendre.

Mieux vaut donc se promener dans ce livre[1] original et très bien illustré sans trop se soucier de son intitulé. On y voit Boris Eltsine embrasser l'un des deux trotteurs français avec lesquels Jean-Louis Gouraud rallia Paris à Moscou en soixante-quinze jours et l'émouvant Léopold Sédar Senghor marcher à pied sur sa pelouse normande en culotte de cheval et bottes cirées. On y découvre, grâce à Jean-Louis Andreani, les rai-

1. *Le cheval, animal politique*, Favre, 2009.

sons pour lesquelles la garde républicaine préféra Mitterrand à Giscard. Et on y apprend, grâce au général Durand, qu'Iris XVI, le hongre du général Leclerc auquel il devait sa claudication, fut fusillé en 1940 par un peloton d'exécution allemand pour avoir tué, d'une ruade, l'ordonnance du Rittmeister qui le visitait dans son box. Voilà bien la seule preuve que le cheval est un animal politique et fait, parfois, de la résistance.

Eaubac, le roi nonchalant

Chaque semaine en temps ordinaire, chaque jour pendant les vacances, je lui rends visite comme on irait voir son meilleur ami qui aurait vieilli trop vite, mais garderait tous ses esprits et, voudrait-on croire, mais c'est un leurre, la prodigieuse mémoire des bonheurs partagés, des vacances de la vie.

Eaubac me reçoit dans son herbage gras traversé par un cours d'eau généreux, ceint de hautes haies et lové sous une église qui lui donne l'heure dont, en vérité, il n'a plus rien à faire. Son ventre est aussi rebondi que celui d'une poulinière et son dos est très ensellé, mais sa tête fine, oblongue, gracieuse, coquine, n'a pas changé. Au fil des saisons, il s'est assagi, ne galope presque plus, préfère marcher vers moi, quand je l'appelle, d'un pas tranquille, précautionneux, un peu désabusé. C'est devenu un animal vertueux, qui se ménage, se méfie des excès, n'a pas le souci de briller, ne cherche plus à plaire pour de mauvaises raisons et veut la paix.

J'arrive toujours les mains pleines de pommes, de carottes, de pain sec, qu'il consent à partager avec ses deux compagnons de retraite et, parfois, un canard sauvage posté sous son poitrail, mais dont je sens bien qu'il apprécie et trouve légitime d'en être le bénéficiaire privilégié. D'une main je lui donne à manger et, de l'autre, je lui caresse lentement le chanfrein, l'encolure, la croupe, les jambes, sans jamais cesser de lui parler. Après quoi, je vérifie l'état de ses pieds, guette la gale de boue, les crevasses au pli des paturons, et m'assure de l'état de sa corne. Cette surveillance méticuleuse et tous les soins réguliers qu'appelle un cheval au pré — il faut en effet le panser, le parer tous les trois mois, couper sa queue, le vermifuger, le vacciner, nettoyer ses yeux qui, l'été, attirent les insectes, le supplémenter lorsque la neige apparaît, faire venir le dentiste, soigner les petites blessures — sont, en vérité, mon dernier lien avec lui. Ils justifient ma présence, raisonnent mon sentimentalisme et donnent un argument à mes regrets. Ils m'obligent.

Le plus souvent, je viens le voir avant d'aller monter, au sommet de la colline résineuse du Brévedent qui l'abrite et le protège, des chevaux d'emprunt à l'affection volatile. Je n'ai jamais remplacé Eaubac, ce serait me désavouer, je me contente seulement d'assouvir mon désir, mon plaisir, sur des dos plus jeunes et moins arthritiques. Mais tout ce que j'éprouve ajoute sans cesse au souvenir que j'ai de lui, de notre complicité exclusive, de nos gentils exploits. Le temps a beau passer, je continue de le sentir entre mes jambes, sous mes fesses, au bout des doigts. Je monte sans lui, mais pour lui.

Au retour, je m'arrête à nouveau devant son pré, sans y pénétrer. Je m'adosse à un arbre pour le regarder vivre avec nonchalance, manger de l'herbe, chasser les mouches, se frotter à un autre retraité, et pour observer aussi le cavalier que je fus lorsqu'il était mon allié, mon confident. Il m'émeut, dans sa résidence surveillée, dans son petit royaume de verdure, mon vieux monarque débonnaire qui a cessé de régner et dont je fus si heureux, si fier, d'être le vassal.

Il ne me doit rien et je lui dois tant. Il vit très bien sans moi et j'ai besoin de savoir qu'il existe. Plus le temps passe, et plus il appartient au monde animal, et plus j'appartiens à celui des humains qui s'encombrent, en vieillissant, de regrets inutiles et d'un fatras de photos fatiguées. Je suis un peu jaloux de sa liberté, de sa légèreté, de sa royale indifférence. Un jour, peut-être, m'en confiera-t-il le secret.

NOTES

Selles de cheval a paru dans *Éloge du crottin*, un ouvrage collectif dirigé par Jean-Louis Gouraud et tiré exclusivement à cent exemplaires numérotés, aux Éditions Pur-Cent, 2008.

Les cavalcades de M. Morand est la préface augmentée à l'*Anthologie de la littérature équestre*, de Paul Morand, parue en 2010 aux Éditions Actes Sud.

Manège intime a fait l'objet, en 2013, d'une édition bibliophilique tirée exclusivement à soixante exemplaires numérotés à la Librairie ancienne Auguste Blaizot, dans la collection 164.

Chez le dieu Hermès est le livret hors commerce du *Saut Hermès* organisé, en 2013, au Grand Palais, à Paris.

AUX TROIS ALLURES

Levons l'hippothèque   17
Selles de cheval   21
Après la bataille   24

VIENS VOIR LES COMÉDIENS

Manège intime   33
La galopeuse du Français   40
Desdémone et Othello   47
Lady cavalière   49
L'ange et la bête   57
Le maître étalon   61
L'apocalypse   75

LE MORS ET LA PLUME

Les dadas de Flaubert   81
Les cavalcades de M. Morand   85
Les chutes de cheval   106

La campagne de Russie   114
Grand dieu !   118

CHEVAUX SUR CHEVALETS

La Bonheur   123
Le carrousel des peintres   129
Dans l'œil du cheval   131

UN BARTABAS, DES BARTABAS

Galop arrière   137
Un samouraï à Versailles   142
L'homme cheval   146
Danse avec les criollos   150
Grand-messe   153
Tournez manège   155
Chez le dieu Hermès   160
Mourir de rire   163
Les sculpteurs d'éphémère   165

DEMAIN

Kamel sans filtre   171
La femme est l'avenir du cheval   175
Un animal politique   178
Eaubac, le roi nonchalant   182

Notes   185

DU MÊME AUTEUR

Romans

C'ÉTAIT TOUS LES JOURS TEMPÊTE, *Gallimard*, 2001.
Prix Maurice Genevoix (Folio n° 3737).

LES SŒURS DE PRAGUE, *Gallimard*, 2007 (Folio n° 4706).

L'ÉCUYER MIROBOLANT, *Gallimard*, 2010. Prix Pégase Cadre
Noir (Folio n° 5319).

BLEUS HORIZONS, *Gallimard*, 2013. Grand prix Henri Gal de
l'Académie française.

Récits

LA CHUTE DE CHEVAL, *Gallimard*, 1998. Prix Roger Nimier
(Folio n° 3335, *édition augmentée* ; La Bibliothèque Gallimard, n° 145,
présentation et dossier de Geneviève Winter).

BARBARA, CLAIRE DE NUIT, *La Martinière*, 1999 (Folio,
n° 3653, *édition augmentée*).

THÉÂTRE INTIME, *Gallimard*, 2003. Prix Essai France Télévi-
sions (Folio n° 4028, *édition augmentée*).

BARTABAS, ROMAN, *Gallimard*, 2004. Prix Jean Freustié (Folio
n° 4371, *édition augmentée*).

SON EXCELLENCE, MONSIEUR MON AMI, *Gallimard*,
2008. Prix Prince Pierre de Monaco, Prix Duménil (Folio, n° 4944,
édition augmentée).

OLIVIER, *Gallimard*, 2011. Prix Marie-Claire (Folio n° 5445, *édition
augmentée*).

Journal

CAVALIER SEUL, *Gallimard*, 2006 (Folio n° 4500, *édition augmentée*).

Essais

POUR JEAN PRÉVOST, *Gallimard*, 1994. Prix Médicis Essai ;
Grand prix de l'Essai de la Société des Gens de Lettres (Folio, n° 3257).

LITTÉRATURE VAGABONDE, *Flammarion*, 1995 (Pocket n° 10533, *édition augmentée*).

PERSPECTIVES CAVALIÈRES, *Gallimard*, 2003. Prix Pégase de la Fédération française d'équitation (Folio n° 3822).

LES LIVRES ONT UN VISAGE, *Mercure de France*, 2009 (Folio, n° 5134, *édition augmentée*).

GALOPS, Perspectives cavalières II, *Gallimard*, 2013 («inédit» Folio n° 5622).

Correspondance

FRATERNITÉ SECRÈTE, CORRESPONDANCE JACQUES CHESSEX-JÉRÔME GARCIN, *Grasset*, 2012.

Dialogues

ENTRETIENS AVEC JACQUES CHESSEX, *La Différence*, 1979.

SI J'OSE DIRE, ENTRETIENS AVEC PASCAL LAINÉ, *Mercure de France*, 1982.

L'ÉCOLE BUISSONNIÈRE, ENTRETIENS AVEC ANDRÉ DHÔTEL, *Pierre Horay*, 1983.

DE MONTMARTRE À MONTPARNASSE, ENTRETIENS AVEC GEORGES CHARENSOL, *François Bourin*, 1990.

Direction d'ouvrages

DICTIONNAIRE DE LA LITTÉRATURE FRANÇAISE CONTEMPORAINE, *François Bourin*, 1988. Édition augmentée : DICTIONNAIRE DES ÉCRIVAINS CONTEMPORAINS DE LANGUE FRANÇAISE PAR EUX-MÊMES, *Fayard/Mille et une nuits*, 2004.

LE MASQUE ET LA PLUME, avec Daniel Garcia, *Les Arènes*, 2005. Prix du Comité d'Histoire de la Radiodiffusion (10-18 n° 3859).

NOUVELLES MYTHOLOGIES, *Le Seuil*, 2007 (Points-Essais n° 661).

Composition Igs
Impression Maury-Imprimeur
45330 Malesherbes
le 7 août 2013.
Dépôt légal : août 2013.
Numéro d'imprimeur : 183302.

ISBN 978-2-07-045319-1. / Imprimé en France.